1415

Das Buch

Als sich vierhunderttausend britische Soldaten 1944, noch vor Kriegsende also, auf den Weg nach Deutschland machten, steckte dieses Büchlein in ihren Hosentaschen. Eine Anleitung des britischen Außenministeriums, wie mit uns Deutschen umzugehen sei, ein Attest der britischen Zivilisiertheit und eine Warnung vor einem „merkwürdigen Volk". Dieser Leitfaden hat das Bild der Briten von uns Deutschen entscheidend geprägt. Uns kann er auch heute noch einen Spiegel vorhalten, und das, was wir in diesem Spiegel sehen, ist manchmal erschreckend, manchmal amüsant und oft unfassbar komisch.

LEITFADEN

FÜR

BRITISCHE
SOLDATEN

IN

DEUTSCHLAND
1944

Aus dem Englischen
von Klaus Modick

Kiepenheuer & Witsch

Verlag Kiepenheuer & Witsch, FSC® N001512

9. Auflage 2015

Titel der Originalausgabe:
Instructions for British Servicemen in Germany 1944
© The University of Oxford (for its Bodleian Library) 2007
First published in English by the University in 2007
All rights reserved
Aus dem Englischen von Klaus Modick
© 2014, Verlag Kiepenheuer & Witsch, Köln
Alle Rechte vorbehalten. Kein Teil des Werkes darf in irgendeiner
Form (durch Fotografie, Mikrofilm oder ein anderes Verfahren)
ohne schriftliche Genehmigung des Verlages reproduziert
oder unter Verwendung elektronischer Systeme verarbeitet,
vervielfältigt oder verbreitet werden.
Umschlaggestaltung: Rudolf Linn, Köln, basierend
auf dem Originalumschlag der Bodleian Library
Gesetzt aus der Perpetua und der Gill Sans
Satz: Buch-Werkstatt GmbH, Bad Aibling
Druck und Bindung: Kösel GmbH & Co. KG, Krugzell
ISBN 978-3-462-04634-2

INHALT

VORBEMERKUNG VON HELGE MALCHOW
UND CHRISTIAN KRACHT

Im März 2013 besuchte ich den Schriftsteller Christian Kracht in Oberitalien zum Anlass der Veröffentlichung der italienischen Übersetzung seines Romans „Imperium".

Weil Christian Kracht nicht nur ein geschätzter Autor, sondern ebenso ein origineller und gebildeter Leser internationaler Literatur ist, sind Besuche bei ihm für mich auch immer beste Gelegenheiten für Entdeckungen sowie für überraschende und erhellende Gespräche über Bücher. Bei diesem Besuch fiel mir durch Zufall auf dem Nachttisch im Gästezimmer ein kleinformatiger, burgunderroter Pappband ins Auge, der den Titel „Instructions for British Servicemen in Germany/1944" trug und dessen Inhalt mich augenblicklich faszinierte: ein Leitfaden in Buchform für britische Soldaten, die damals als Teil der alliierten Streitkräfte gegen das nationalsozialistische Deutschland kämpften und nach der sich abzeichnenden Eroberung deutscher Gebiete zu Besatzungssoldaten werden würden.

Der Ausgang des Zweiten Weltkriegs, die vollständige Niederlage der Hitler-Armee zeichnete sich klar ab und war nur noch eine Frage der Zeit. Das Deutsche Reich stand vor dem Zusammenbruch, der spätere Kalte Krieg, in dem das Nachkriegsdeutschland zum Partner der Westmächte gegen die Sowjetunion werden sollte, war noch nicht abzusehen.

In diesem historischen Moment gab das britische Außenministeriu[m] den oft noch blutjungen Soldaten mit diesem Handbuch Kenntniss[e] und Regeln an die Hand, mittels derer sich diese im feindliche[n] deutschen Gebiet orientieren sollten. Das Beeindruckende diese[r] Handreichungen ist nicht nur das Bild, das hier in knappen Striche[n] von deutscher Geschichte und Gegenwart, von deutscher Kultu[r] und von den Eigenschaften der Menschen gezeichnet wird, auf di[e] man demnächst treffen wird. Das Spektakuläre dieses kleinen Büch[-]leins – da war ich mir mit Christian Kracht einig – ist der Geist, de[r] aus ihm spricht, die unglaubliche demokratische Zivilisiertheit, mi[t] der die britische Regierung selbst in diesem historischen Momen[t] selbst angesichts des Grauens, das Deutschland in die Welt getrage[n] hatte, auf dieses Land und seine Bewohner schaut: mit Augenma[ß] natürlich auch mit Vorsicht und Warnungen, aber vor allem mit de[-] mokratischem Selbstbewusstsein und selbstverständlicher Huma[-] nität, die jeden deutschen Leser auch heute noch beschämen wird[.]

Dieser Einblick in die manchmal auch kuriosen Vorstellunge[n] des damaligen Kriegsgegners und Befreiers macht eine zweispra[-] chige Ausgabe dieses Buchs für deutsche Leser zu einer (späten[)] Pflicht, der wir hiermit nachkommen.

Als mich letztens mein geschätzter Verleger Helge Malchow in der vo[n] mir bewohnten kleinen Pension in Oberitalien besuchte (Malchow ist au[s] unerfindlichen Gründen der festen Meinung, die Pension sei eine Priva[t-] wohnung, obwohl die Zimmertüren, wie in kleinen Hotels weltweit üblic[h] klar und deutlich mit Nummern versehen sind und jeden Morgen unten in der »sala comunale« ein bescheidenes Frühstücksbuffet angeboten wird), bat ich Giuseppe, den Besitzer der Pension, Helge Malchow einige Bücher auf den Nachttisch zu legen, in denen er blättern könne, sollte er nachts nicht gut schlafen. Darunter befand sich ein schmales rotes Bändchen, das Sie nun dank ihm in deutscher Übersetzung in den Händen halten. Es ist ein Brevier, in dem den britischen Soldaten, die nun kurz davor standen, das besiegte Deutschland zurückzuführen in die Zivilisation, ans Herz gelegt wird, wie sie sich den Deutschen gegenüber zu benehmen hätten – vor allem mit Anständigkeit: „Be smart, be firm, be fair". Jedenfalls erschien Helge Malchow weder zum Frühstück, noch zum verabredeten gemeinsamen Morgenbesuch der kleinen Kirche San Felice zur Betrachtung der erstaunlichen Fresken von Giotto. Erst am späten Nachmittag traf ich ihn zufällig wieder (vor einer Pizzeria in Bahnhofsnähe stehend), das Büchlein in der Hand, die Finger als Platzhalter hineingeschoben, Sätze daraus frei deklamierend, so auch diesen: „The Germans are not good at controlling their feelings. They have a streak of hysteria. You will find that Germans may often fly into a passion if some little thing goes wrong."

März 2014

EINLEITUNG

Neuneinhalb Monate nach D-Day überschritten dreißigtausend britische Soldaten als Teil des alliierten Angriffs auf Deutschland den Rhein. Bereits im Mai 1943 war vorgeschlagen worden, die Truppen mit einer Art schriftlicher Anleitung auszustatten, wie mit den Ansichten der Deutschen, mit denen sie als Mitglieder einer Besatzungsarmee konfrontiert werden würden, umzugehen sei, und das Ergebnis eingehender Beratungen war diese Broschüre.

Wie schon bei dem früheren *Leitfaden für britische Soldaten in Frankreich* (von der Bodleian Library ebenfalls neu herausgegeben) bestand die Absicht darin, die Soldaten über eine Reihe von Themen zu informieren, unter anderem deutsche Geschichte, den Nationalcharakter, Politik, Kultur, Essen, Trinken, Währung und Sprache, aber auch die aktuelle Situation zu erklären – einschließlich der Auswirkungen des Kriegs auf Deutschland und das Verhalten der Deutschen gegenüber Engländern. Allerdings gab es einen entscheidenden Unterschied. Während die eigentliche Absicht der früheren Broschüre darin bestanden hatte, zwei Alliierte zusammenzubringen, die, obwohl ihr Verhältnis während des Kriegs nicht ganz einfach gewesen ist, viele gemeinsame Ziele und Wertvorstellungen teilten, bestand das wesentliche Ziel diesmal darin, die Truppen gegen den Einfluss deutscher Propaganda zu immunisieren und die Kontakte zwischen den Besatzern und den Besetzten auf ein Minimum zu reduzieren.

Den Verfassern war schmerzlich bewusst, dass es einer früheren britischen Besatzungsmacht in Deutschland nach dem Ersten Weltkrieg nicht gelungen war, das zu zerstören, was man in der deutschen Geschichte für die vorherrschenden Tendenzen in Sachen Militarismus und Expansionsdrang hielt. Man war sich auch des Einflusses bewusst, den die Nazi-Propaganda auf die deutsche Bevölkerung hatte, und war entschlossen, den britischen Truppen zu erklären, wie sie sich dagegen wehren konnten. Dies führte zu drei prinzipiellen Schlussfolgerungen: dass nämlich alle Deutschen, egal, ob Mitglieder der Nazipartei oder nicht, für den Krieg verantwortlich zu machen seien, dass die Deutschen gründlich umlernen mussten und dass es zwischen Besatzern und Besetzten keine Fraternisierungen geben sollte. Laut Broschüre vertrat man die Ansicht, dass „eine britische Besatzung nicht von Brutalität, aber auch nicht von Nachgiebigkeit oder Sentimentalität geprägt sein darf". Diesen Satz ließ Feldmarschall Montgomery in seiner Botschaft an die Truppen anklingen, als er sagte: „Der besiegte Feind muss in die Lage versetzt werden, sein Haus in Ordnung zu bringen … Er muss aber auch für den Krieg, den er angezettelt hat, bezahlen … Wir müssen versuchen, uns als kluge Eroberer zu erweisen. So stark, wie wir in der Schlacht waren, so gerecht werden wir im Frieden sein." Demnach ist von Anfang an klar, dass der in dieser Broschüre angeschlagene Ton sich bemerkenswert von dem unterscheiden würde, der in den vorherigen Publikationen dieser Reihe anklungen war. Diese wurden erstellt, um alliierte Soldaten mit befreundeten Ländern vertraut zu machen, und obwohl sie eine ernste Absicht verfolgten, waren sie doch im Ton recht unbeschwert.

Der Ton, der diese Broschüre prägt, kommt am deutlichsten im Sicherheitshinweis am Ende zum Ausdruck: „Deutsche müssen noch so lange als gefährliche Feinde betrachtet werden, bis die endgültige Friedensvereinbarung verabschiedet und die Besetzung Deutschlands beendet sein wird." Der größte Teil des Textes diente deshalb dem Zweck, Soldaten vor Mitgefühl mit den Deutschen zu warnen. Dieses Thema wird schon im ersten Absatz des Vorworts behandelt:

> „Sie werden in Deutschland viel Leid und viel Mitleiderregendes erleben. Sie werden auch merken, dass viele Deutsche zumindest an der Oberfläche durchaus angenehm zu sein scheinen und sogar versuchen werden, Sie als Freunde willkommen zu heißen.
>
> Das alles mag Sie auf den Gedanken bringen, dass sie ihre Lektion gelernt haben und keine weiteren Belehrungen mehr brauchen. Aber denken Sie immer daran ... die Deutschen müssen gründlich umlernen.
>
> Sie müssen auch gründlich Abbitte leisten."

Die Broschüre vertritt dann den Standpunkt, dass „sich das deutsche Volk als Ganzes einem Großteil der Verantwortung nicht entziehen kann" und dass nicht einmal das Attentat auf Hitler eine Auflehnung gegen „die Barbarei von Hitlers Methoden, sondern eher gegen deren Erfolglosigkeit" war. Fraternisierung zwischen den britischen Truppen und den deutschen Zivilisten wurde vom alliierten Oberkommando anfangs untersagt, obwohl es, wie die Broschüre ausführt, „wahrscheinlich zu Situationen kommt, bei denen Sie mit ihnen umgehen müssen, und deshalb ist es notwendig, zu erfahren, um was für einen Menschenschlag es sich handelt". Die Regeln wurden später etwas gelockert: Anfangs wurden nur Unterhaltungen auf der Straße zugelassen, später wurden Sozialkontakte in einem weit größeren Ausmaß erlaubt, obwohl es den Truppen offiziell verboten blieb, deutsche Frauen zu heiraten.

Es ist interessant, diese Broschüre mit einem Schulungsfilm zu vergleichen, der unter dem Titel „Deine Aufgabe in Deutschland" etwa zur gleichen Zeit veröffentlicht wurde. Er war von der US-Armee produziert worden, wurde jedoch auch britischen und anderer alliierten Truppen gezeigt, die nach Deutschland einrücken sollten. Vor allem wird im Film eine schärfere Gangart gegenüber der deutschen Bevölkerung vertreten, egal, ob es sich um Zivilisten handelt oder nicht. Ein ähnlicher Schwerpunkt wird beispielsweise auf die deutsche Geschichte gelegt. Einmal heißt es im Kommentar: „Sie werden wunderschöne Landschaften sehen. Lassen Sie sich nicht täuschen. Sie sind in Feindesland. Seien Sie allem und jedem gegenüber wachsam und misstrauisch. Gehen Sie keine Risiken ein. Sie haben es mit mehr zu tun als mit Touristenattraktionen. Sie haben es mit deutscher Geschichte zu tun. Und die ist durchaus schlecht."

Der Film nimmt Bezug auf deutsche Aggressionen in den Jahren 1870, 1914 und 1939 und stellt dann fest: „Die deutschen Expansionsgelüste sind nicht tot. Sie verstecken sich lediglich ... Es kann wieder passieren. Besetzen Sie also Deutschland, um den nächsten Krieg unmöglich zu machen." Und die Truppen wurden wiederum vor Fraternisierung gewarnt, indem der Film ihnen erklärte: „Fraternisierung heißt Freundschaft schließen. Das deutsche Volk ist nicht unser Freund. Sie werden sich nicht mit deutschen Männern, Frauen oder Kindern abgeben." Während eines kurzen Zeitraums, etwa im Dezember 1944, konnten alliierte Soldaten sogar mit der nicht unbeträchtlichen Summe von £16 bestraft werden, wenn sie mit dem Feind fraternisierten.

Mehr als sechzig Jahre später und nach langer Friedenszeit in Europa, in der Deutschland und Großbritannien zu Alliierten und Partnern in der NATO und der Europäischen Union geworden sind, klingen diese Mahnungen höchst sonderbar, und man könnte meinen, dass auf lange Sicht viel mehr dadurch hätte gewonnen werden können, wenn man Fraternisierungen zwischen den Truppen und der deutschen Zivilbevölkerung gefördert hätte, statt vor ihnen zu warnen. Es gibt in der Tat Beweise, dass damals viele der britischen zivilen und militärischen Führer nicht glücklich über die Regelung waren. Churchills berühmtes Epigraf am Ende seiner *Geschichte des Zweiten Weltkriegs* – „Im Krieg Entschlossenheit; in der Niederlage Trotz; im Sieg Großherzigkeit; im Frieden Gutwilligkeit" – zeigt, dass er eine weitere und humanere Vision der Zukunft hatte als die Verfasser dieses *Leitfadens*. Und trotz der strengen Sätze in seiner Botschaft an die Truppen im September

1945 schrieb Feldmarschall Montgomery später in seinen Memoiren: „Wenn wir jemals die deutsche Bevölkerung umzuerziehen hätten, wäre es eine gute Sache, sich frei mit ihr zu verbinden und ihr unsere Vorstellungen von Freiheit und persönlicher Verantwortung beizubringen."

Die Ansichten der normalen britischen Soldaten kamen sehr schön in einem Cartoon von Giles zum Ausdruck, publiziert im *Daily Express* am 22. Juli 1945. Die Zeichnung zeigt eine Gruppe deutscher Frauen, die zwei britischen Soldaten durch einen Wald folgt, während zwei andere Mädchen einen Stolperdraht über den Pfad vor ihnen spannen. Darunter steht: „Schwer für uns Jungs, die wir nicht fraternisieren wollen, nicht wahr?"

Die Truppen konnten ihre Ansichten über Deutschland und die Deutschen auch in den Leserbriefspalten der *British Zone Review* ausbreiten, eine zweimal im Monat erscheinende Zeitung, die zwischen 1945 und 1949 von der *Information Services Division* der Kontrollkommission für Deutschland produziert wurde. Bereits in der zweiten Ausgabe wurde ein Brief abgedruckt, aus dem, zumindest für einen Teil der Bevölkerung, Mitleid sprach. Lucia Lawson, eine Subalternoffizierin im A.T.S.[1], schrieb:

„Nachdem wir eben erst sechs Jahre eines Krieges, den wir nicht verschuldet haben, überstanden haben, fällt es schwer

---

1 Anmerkung des Übersetzers: A.T.S. = *Auxiliary Territorial Service*: während des Zweiten Weltkriegs der weibliche Zweig der britischen Armee

zu glauben, dass man Mitleid mit den Menschen haben könnte, die den Krieg verursacht haben, aber ich wette, dass jeder Durchschnittsmann und jede Durchschnittsfrau, die eine Woche in Berlin verbringen, zumindest ein bescheidenes Maß an Mitleid für einige Berliner empfinden werden."

Dieser Brief führte in der *British Zone Review* zu einem regen Leserbriefaufkommen sowie einem Leitartikel, der unmissverständlich klar machte, dass "wir zuerst und vor allem standhaft sein müssen". Die Truppen selbst brachten eine breite Meinungspalette zum Ausdruck. Es muss betont werden, dass sich die klare Mehrheit für die offizielle Linie entschied. Sergeant R. J. Dolamore schrieb zum Beispiel:

> "Wir alle wollen einen nächsten Krieg in der Zukunft verhindern, und die einzige Möglichkeit besteht darin, den Deutschen beizubringen, dass sich Krieg nicht auszahlt. Das sollten wir aber niemals tun, indem wir Mitleid für sie aufbringen. Lasst sie für die nächsten 10 Jahre das ganze Elend erleiden, und erst dann wird die Lektion in ihre Dickschädel dringen."

Diese Haltung war weit verbreitet. Andererseits glaubte Sergeant J. P. Noonan, dass ein freizügigeres Vorgehen effektiver sein würde:

> "Wir haben uns als Befreiungsarmee bezeichnet, als Kreuzritter der Wahrheit, der Gerechtigkeit und der Freiheit. Wenn wir Demokraten und Befreier der Unterdrückten sind, die auf die Botschaft der Aufklärung vertrauen und die Prinzipien von Wahrheit, Gerechtigkeit und Freiheit vertreten, warum, im Na-

men der Logik und des gesunden Menschenverstands, prakti-
zieren wir dann nicht das, was wir predigen? Menschlichkeit
und Gerechtigkeit können nicht auf einer Basis von Hass und
Rache gründen. Unsere Aufgabe besteht darin, den Deutschen
zu zeigen, dass sie versagt haben, weil sie die Prinzipien der
Menschlichkeit verletzt haben. Wir müssen die verantwortli-
chen Kriminellen bestrafen und den anderen durch unser Beispiel beweisen, dass wir etwas Besseres anzubieten haben."

Eine ähnliche Ansicht vertrat jemand, der als „D. G. Hannover"
zeichnete:

„Ich möchte drei Regeln vorschlagen ... Erstens: Nur weil
die Deutschen bösartig waren, gibt uns das nicht das Recht
auf eine ähnlich verletzende Vergeltung. Es ist beinahe zwei-
tausend Jahre her, seit eine bessere Parole als Auge um Auge
ausgegeben wurde. Unsere Maßstäbe müssen unsere eigenen
sein, und sie müssen freundlicher sein als die der National-
sozialisten; andernfalls wüsste ich nicht, für welches positive
Ziel wir gekämpft haben sollten.
Die zweite Regel besagt, dass man dort freundlich sein sollte
wo man sich befindet. Diese klugen Männer, die sagen, seid
niemals nett zu einem Deutschen, reserviert eure Freundlichkeit für Franzosen, Jugoslawen oder Griechen, sprechen
nur die halbe Wahrheit. Selbstverständlich sind unsereinem
solche unschuldigen Opfer der deutschen Aggression sym-
pathisch ... Aber ... anstatt Freundlichkeit am falschen Ort
zu sehen, möchten manche Leute lieber gar keine Freundlichkeit sehen.

Die letzte Regel, die einem einfällt, lautet, sich daran zu erinnern, dass Westeuropa eine kulturelle Einheit darstellt ...
Deutschland hat ... entscheidende Beiträge zur Zivilisation
Westeuropas geleistet, und Deutschlands Zerstörung würde
uns alle ärmer machen."

Und ein holländischer Dolmetscher fügte diesen Gedanken hinzu:
„Es wäre sicherlich besser, den Menschen zu sagen, was richtig ist ...
Vergesst die Vergangenheit, unterlasst gegenseitige Schuldzuweisun-
gen, denkt daran, dass die Deutschen Denker sind, dass auch sie
über Verstand und Stolz verfügen."

Langfristig setzte sich diese großzügigere Sichtweise durch,
was zu einem hohen Grad dem Beginn des Kalten Kriegs geschuldet war, insofern dieser zu einem entscheidenden Schwenk der offiziellen Position führte, die Deutschland nun nicht mehr als besiegten Feind behandelte, sondern als potenziellen Alliierten gegen die
neue sowjetische Bedrohung aufbaute. Gegenüber einzelnen Nazi-
vergangenheiten wurde nach und nach ein Auge zugedrückt, und zur
offiziellen Politik aller Seiten wurde das, was Konrad Adenauer in
seiner ersten Parlamentsrede der neu gegründeten Bundesrepublik
Deutschland am 20. September 1949 als die Entschlossenheit be-
zeichnete, „die Vergangenheit hinter uns zu lassen". Von dieser „kol-
lektiven Amnesie", so eine These, hat Europa während der Nach-
kriegszeit zweifellos profitiert.[2]

---

2   T. Judt: Postwar. A History of Europe Since 1945. London 2005. p. 61 f.

Diese Broschüre stammt aus der Zeit vor dem Kalten Krieg und ist als Momentaufnahme der offiziellen Haltung von Interesse, und zwar zu einer Zeit, als Deutschland, eher als die Sowjetunion, als größte Bedrohung des zukünftigen Friedens in Europa galt. Gleichwohl spiegelt sie viel weitergehende Ansichten zur deutschen Geschichte und Kultur und den Charakter des deutschen Volks wider, Ansichten, die im Gefolge der deutschen Einheit nach dem Französisch-Deutschen Krieg von 1870–71 in Großbritannien bis aufs letzte Viertel des neunzehnten Jahrhunderts zurückgehen. Einerseits unfreiwillig komisch, andererseits voll krasser Klischees, entlarvt diese Broschüre ebenso viel von britischen Eigenschaften und Vorurteilen nach dem Krieg wie vom zerstörten Deutschland, das die alliierten Soldaten zum ersten Mal erleben sollten.

John Pinfold
Bodleian Library

LEITFADEN
FÜR
BRITISCHE SOLDATEN
IN
DEUTSCHLAND

Zusammengestellt vom
Direktor für politische Kriegsführung

Herausgegeben vom
Außenministerium,
London

1944

Dieses Buch hat nichts mit militärischen Operationen zu tun.

Es befasst sich ausschließlich mit dem zivilen Leben in Deutschland und der Frage, wie Sie sich gegenüber der deutschen Zivilbevölkerung zu verhalten haben.

Dieses Buch erscheint im November 1944, zu einem Zeitpunkt, da unsere Armeen Deutschland noch kaum betreten haben und Hitler und das Naziregime noch nicht gestürzt wurden. Zwischen heute und dem Zeitpunkt, an dem Sie zum ersten Mal dieses Buch lesen, können noch viele wichtige Ereignisse stattfinden. Wundern Sie sich deshalb nicht, wenn hier und dort Sätze, die zum Zeitpunkt ihrer Niederschrift zutrafen, inzwischen überholt sind.

– VORWORT –

Zum zweiten Mal in weniger als dreißig Jahren betreten britische Truppen deutschen Boden. Die deutsche Armee, die am sorgfältigsten konstruierte militärische Maschinerie, die die Welt je gesehen hat, hat im Felde katastrophale Niederlagen erlitten. Die deutsche Zivilbevölkerung musste mit ansehen, wie der Krieg auf schreckliche Weise über ihre Heimat gekommen ist. Sie werden in Deutschland viel Leid und viel Mitleiderregendes erleben. Sie werden auch merken, dass viele Deutsche zumindest an der Oberfläche durchaus angenehm zu sein scheinen und sogar versuchen werden, Sie als Freunde willkommen zu heißen.

Das alles mag Sie auf den Gedanken bringen, dass sie ihre Lektion gelernt haben und keine weiteren Belehrungen mehr nötig sind. Aber denken Sie immer daran: Während der letzten hundert Jahre – lange schon vor Hitler – haben höchst einflussreiche deutsche Schriftsteller ständig die Notwendigkeit des Krieges gelehrt und ihn um seiner selbst willen verherrlicht. Die Deutschen müssen gründlich umlernen.

Sie müssen auch gründlich Abbitte leisten. Nie

zuvor ist Mord in einem so großen Ausmaß organisiert worden wie durch die deutsche Regierung und die deutsche Armee in diesem Krieg. Tod durch Erschießen, Hängen, Verbrennen, Folter oder Hunger haben Hunderttausende Zivilisten in den von den Deutschen besetzten Ländern Osteuropas und Tausende in den besetzten Ländern Westeuropas erlitten.

Der Beweis dieser Ungeheuerlichkeiten verdankt sich keiner „Gräuelpropaganda", sondern basiert in den meisten Fällen auf Augenzeugenberichten oder auf Aussagen, die die Kriminellen selbst geliefert haben. Darüber hinaus zeigen die schriftlichen und mündlichen Äußerungen der deutschen Führer, dass diese Ungeheuerlichkeiten ein Teil beabsichtigter Politik waren.

Das deutsche Volk als Ganzes kann sich einem Großteil der Verantwortung nicht entziehen. Die wesentlichen Werkzeuge deutscher Politik waren sicherlich Hitlers Schwarze Garden und die Geheimpolizei, aber ganz normale deutsche Offiziere, Unteroffiziere und Mannschaften handelten oft mit der gleichen Brutalität. Einzelne deutsche Soldaten und Zivilisten mögen es missbilligt haben, aber es fand sich niemand, der öffentlich und rechtzeitig dagegen protestiert hätte. Seitdem

Hitler an die Macht gekommen ist, gab es bis zu dem Putschversuch der deutschen Generäle am 20. Juli 1944 in Deutschland keine ernst zu nehmende Widerstandsbewegung. Aber der Grund für diese Revolte war nicht die Barbarei von Hitlers Methoden, sondern eher deren Erfolglosigkeit.

Die Geschichte der vergangenen Jahre darf sich nicht wiederholen. Das Britische Commonwealth, seine Verbündeten und die Truppen, die sie repräsentieren, hegen nicht die Absicht, Vergeltung an den Deutschen zu üben. Es muss jedoch sichergestellt werden, dass sie niemals wieder die Möglichkeit bekommen, Europa und die ganze Welt in Blut zu ertränken. So lange Sie in Deutschland sind, denken Sie immer daran, dass Sie nicht dort wären, wenn die deutschen Verbrechen diesen Krieg nicht unausweichlich gemacht hätten, und dass britische Truppen nur dank des Opfers tausender und abertausender Ihrer Landsleute und Verbündeter und auf Kosten unsäglichen Leids in der Heimat und im Ausland während fünf langer Jahre schließlich auf deutschem Boden stehen. Bedenken Sie all dies, wenn Sie in Versuchung geraten, für diejenigen Sympathie aufzubringen, die bis heute, im Krieg wie im Frieden, die Früchte ihrer Politik einstreichen.

Sie gehen nach Deutschland.

Sie gehen dorthin als Teil der Streitkräfte der Vereinigten Nationen, die bereits an vielen Fronten vernichtende Schläge gegen die deutsche Kriegsmaschinerie, die erbarmungsloseste, die die Welt je gesehen hat, ausgeteilt haben.

Sie werden sich dann vielleicht eine ganze Weile unter den Menschen eines feindlichen Landes bewegen müssen, eines Landes, das sein Äußerstes gegeben hat, uns zu zerstören – durch Bomben- und U-Boot-Angriffe, durch militärische Aktionen, wann immer deutsche Armeen mit den unseren aneinandergerieten, und durch Propaganda.

Aber die meisten Menschen, die Ihnen begegnen werden, wenn Sie nach Deutschland kommen, werden keine Piloten oder Soldaten oder U-Boot-Fahrer sein, sondern einfache Zivilisten – Männer, Frauen und Kinder. Viele von ihnen werden durch Überarbeitung, Unterernährung und die Folgen von Luftangriffen geschwächt sein, und Sie könnten in Versuchung geraten, Mitleid für sie zu empfinden.

Sie haben gehört, wie sich die deutschen Armeen in den zumeist neutralen Ländern verhalten haben, die sie besetzt und ohne Kriegserklärung oder Warnung angegriffen haben. Sie haben gehört, wie sie Männer und Frauen zu Zwangsarbeit deportiert, wie sie geplündert, eingekerkert, gefoltert und gemordet haben. **Eine britische Besatzung wird nicht von Brutalität, aber auch nicht von Nachgiebigkeit oder Sentimentalität geprägt sein.**

Sie werden viel Elend zu Gesicht bekommen. Manchmal werden Ihnen Geschichten über Schicksalsschläge zu Ohren kommen. Manche mögen zumindest teilweise wahr sein, aber bei den meisten dürfte es sich um heuchlerische Versuche handeln, Mitleid zu erregen. Alles in allem ist der Deutsche nämlich brutal, solange er siegreich bleibt, wird aber selbstmitleidig und bettelt um Mitleid, wenn er geschlagen ist.

Hüten Sie sich also vor „Propaganda" in Form von Unglücksgeschichten. Bleiben Sie anständig und gerecht, aber werden Sie nicht weich.

Sie müssen auch bedenken, dass die meisten Deutschen nur die deutsche Version des Kriegs und der Ereignisse kennen, die ihn auslösten. Es war ihnen verboten, andere Nachrichten zu hören als die von ihrem Propagandaministerium verbreiteten, und sie wurden bei Missachtung hart bestraft. Die meisten haben also völlig falsche Vorstellungen von dem, was passiert ist, und werden Ihnen – vielleicht in bester Absicht – Geschichten auftischen, die völlig unwahr sind.

Die Eindrücke, die Ihnen von den Weltereignissen vermittelt wurden, sind der Wahrheit viel näher als die verdrehten Varianten, die das deutsche Propagandaministerium verbreitet. Lassen Sie sich also nicht von plausibel klingenden Erklärungen blenden.

Natürlich gibt es Deutsche, die von Anfang an gegen die Nazis waren, aber nur wenige, die versucht haben, sich zu wehren, haben überlebt, um ihre Geschichte erzählen zu können. Selbst diejenigen Deutschen, die mehr oder weniger Anti-Nazis waren, werden Anlass zum Klagen haben. Aber für Sie gibt es keinen Grund, sich um die Rechtfertigungsversuche der Deutschen zu kümmern. Im Augenblick zählt lediglich, dass Sie im Begriff sind, **einem merkwürdigen Volk in einem merkwürdigen, feindlichen Land** zu begegnen.

Ihr oberster Befehlshaber hat einen Befehl erlassen, der Fraternisierung mit Deutschen verbietet, aber wahrscheinlich wird es zu Situationen kommen, bei denen Sie mit ihnen umgehen müssen, und deshalb ist es notwendig, zu erfahren, um was für einen Menschenschlag es sich handelt.

– DAS DEUTSCHE LAND –

Deutschland ist ein großes Land.

Seine Fläche ist zweimal so groß wie England, Schottland, Wales und Nordirland zusammen. Die Bevölkerungszahl beträgt das Anderthalbfache dieser Länder.

Wie die Karte auf den Seiten 64 und 65 zeigt, wird Deutschland, abgesehen von der tidelosen Ostsee im Norden und einem kurzen Küstenabschnitt an der Nordsee, von Land umschlossen. Im Osten und Westen sind die Grenzen nicht durch hohe Berge und Flüsse markiert, was vielleicht einer der Gründe dafür ist, warum die Deutschen ständig versuchen, ihre Grenzen weiter auszudehnen.

Die größten Flüsse, Rhein, Elbe, Oder und Donau, sind nicht ausschließlich deutsch, da sie auch durch andere Länder fließen, bevor sie ins Meer münden.

Das Klima in Nordwestdeutschland ist dem in Großbritannien ähnlich, aber weiter südlich oder östlich sind die Sommer heißer und die Winter kälter als bei uns. In Westdeutschland regnet es öfter als im Osten, aber überall gibt es im Sommer mehr schöne, heiße Tage und im Winter mehr klare, helle Kälte als bei Ihnen zu Hause.

Deutschlands Landschaften sind sehr vielfältig. Im

Norden liegt eine große Ebene, die, abgesehen von einigen Kiefernwäldern, kahl und von Seen durchzogen ist. Es handelt sich um den Ausläufer der russischen und polnischen Tiefebene. In Mitteldeutschland sind die bergigen Landschaften dicht bewaldet. Das Rheintal mit seinen schroffen Felsen, Weingütern und alten Burgen ist englischen Touristen wohlvertraut. Weiter südlich kommt man durch das deutsche Alpenvorland.

Industrie. Deutschland ist hoch industrialisiert. Der deutsche „Kohlenpott" liegt im Westen an Rhein und Ruhr, wo das, was übrig geblieben ist von Städten wie Köln, Dortmund, Düsseldorf, Duisburg, Essen, Bochum und vielen anderen, die uns aus den Berichten des Luftfahrtministeriums geläufig sind, ein großes, zusammenhängendes Industriegebiet bildet. Andere große Fabrikzentren liegen in Thüringen und Sachsen (Mitteldeutschland) und in der östlichen Provinz Schlesien.

Die nordwestliche Hafenstadt Hamburg, wiederum etwa um die Hälfte größer als Glasgow, ist vermutlich die „englischste" aller deutschen Städte. Hamburg pflegte stets enge Handelsbeziehungen mit England.

Vor siebzig Jahren war die Hauptstadt Berlin etwa so groß wie Manchester. Heute ist sie mit einer Einwohnerzahl von fast viereinhalb Millionen über ein Drittel so groß wie der Großraum London. Berlin ist der Regierungssitz des Deutschen „Reichs" und nahezu vollständig von einem Industriegürtel umgeben.

Das deutsche Verkehrssystem gehörte zu den besten in Europa. Neben dem hervorragenden Eisenbahnnetz wurden die großen, natürlichen Wasserwege wie der Rhein, die durch ein Kanalsystem miteinander verbunden waren, stark frequentiert. Eine von Hitlers positiven Leistungen war der Bau Hunderter Kilometer erstklassiger Straßen, wenn auch die dahinterstehende Absicht weitgehend militärisch war. Sie werden Autobahnen genannt.

Das Interessanteste an der deutschen Geschichte ist die Tatsache, dass **Deutschland bis 1871 als Staat gar nicht existierte.** Davor bestand es aus einer Vielzahl von Staaten mit jeweils eigenen Fürstenhöfen, eigenen Gesetzen und Zollschranken. Preußen war der bei Weitem größte dieser Staaten.

Dem preußischen Staatsmann **Bismarck** kommt das (wenn das Wort hier angebracht ist) Verdienst zu, die diversen Königreiche und Großherzogtümer vereinigt zu haben.

Zwischen 1864 und 1871 führte er drei erfolgreiche Angriffskriege gegen Dänemark, Österreich und Frankreich, und diese Siege beeindruckten die anderen deutschen Staaten so sehr, dass sie einem Staatenbund unter preußischer Vorherrschaft beitraten. Diesen Staatenbund nannte man das Deutsche Reich, und der König von Preußen wurde deutscher Kaiser.

Die Übel des Militarismus und der Aggressivität, die häufig als typisch für die Preußen gelten, infizierten bald das gesamte Deutschland. Die Deutschen erwarben Kolonien, vor allem in Afrika; sie provozierten die britische Seemacht, indem sie eine starke Kriegsflotte bauten. 1914 hielten sie sich dann für stark genug, eine konkurrenzlose Vormachtstellung in Europa durchzusetzen. Im Bündnis mit Österreich-Ungarn, der Türkei und Bulgarien führten und verloren sie den Ersten Weltkrieg.

Nach der Niederlage von 1918 erlebte Deutschland eine Art Revolution. Diese Revolution war eigentlich nur Kulissenschieberei, wurde von den Deutschen aber akzeptiert, weil sie an politischen Mummenschanz gewöhnt sind. Einige Politiker der Deutschen Republik, die das Kaiserreich 1918 ablöste, waren gutwillig; sie etablierten ein parlamentarisches System, das dem Durchschnittsdeutschen bis 1933 mehr individuelle Freiheiten zugestand als jemals zuvor. Doch hinter den Kulissen blieb die eigentliche Macht in den Händen der Generäle, der Großindustriellen und Großgrundbesitzer und des Berufsbeamtentums. Diese warteten ab und lauerten auf die Gelegenheit, sich wieder ins Spiel zu bringen.

Die Gelegenheit kam mit dem Aufstieg Adolf Hitlers.

Hitlers Aufstieg. Dieser ehemalige Weltkriegsgefreite war nicht einmal ein Deutscher, sondern ein Österreicher, der in einem deutschen Regiment gekämpft hatte. Anfangs wurde er nicht ernst genommen, aber seine Partei, die Nationalsozialistische

Deutsche Arbeiterpartei (kurz: Nazi), gewann während der großen Depression zwischen 1930 und 1932 Millionen Anhänger. Hitler versprach den Arbeitern eine Art Sozialismus; er versprach den Industriellen mehr Macht und höhere Profite; er versprach beiden, dass er den Versailler Vertrag vom Tisch wischen und einen vereinigten „großdeutschen" Staat schaffen würde. Die Deutschnationale Partei (Junker, d. h. feudale Großgrundbesitzer, Generäle und Industrielle) glaubte, die Nazis dafür einspannen zu können, ihre alten Privilegien wieder herzustellen. Deshalb überredeten sie den Präsidenten Feldmarschall von Hindenburg, Hitler zum Reichskanzler zu ernennen. Das geschah im Januar 1933.

Um seine Wahl im März abzusichern, ließ Hitler den Reichstag in Brand stecken, und indem er die Tat den Kommunisten in die Schuhe schob, schaffte er sich ein Alibi für seine Terrorherrschaft. Aber trotz einer Propagandaflut, die zu seinen Gunsten von Podien, Presse und Radio entfesselt wurde, verhalfen die Wahlen im März Hitlers Partei zu keiner klaren Mehrheit. Allerdings unterstützten ihn die Deutschnationalen, und um ganz sicherzugehen, ließ er zahlreiche Mitglieder der Oppositionsparteien, die gegen ihn gestimmt haben könnten, verhaften.

Als nächsten Schritt erließ er ein Gesetz, das die

parlamentarische Regierung auflöste und ihn zum Diktator Deutschlands machte.

Dann fing er an, das Land zu „disziplinieren". Gesetze wurden außer Kraft gesetzt. Juden, Kommunisten, Sozialisten, Liberale – alle, die sich öffentlich gegen ihn gestellt hatten – wurden von Hitlers Privatarmee, den Sturmtruppen, verhaftet, erschossen, zu Tode geprügelt oder in Konzentrationslagern systematisch gefoltert. **Hitlers Absicht bestand darin, das deutsche Volk derart zu terrorisieren, dass es niemand mehr wagen würde, sich ihm in Wort oder Tat zu widersetzen.**

Trotz dieser bestialischen Grausamkeiten waren manche Deutsche tapfer genug, den Kampf gegen Hitler fortzusetzen, aber ihre Macht war gering und die meisten wurden ermordet, geschlagen, bis sie klein beigaben, oder gezwungen, das Land zu verlassen.

Inzwischen wuchs die Armee ständig an; 1935 wurde die Wehrpflicht wieder eingeführt; die Industriellen machten riesige Profite mit der Wiederaufrüstung; den Junkern wurden ihre Privilegien garantiert, und die Nazis bereicherten sich durch Plünderungen und Beschlagnahmungen.

Politischer Raubüberfall. Nachdem Hitler seine Macht in Deutschland etabliert hatte, begann er damit, seinen Plan zur Unterwerfung anderer Nationen in die Tat umzusetzen. **Dieser Plan fand Zustimmung bei den Deutschen.** Im März 1938 besetzten deutsche Truppen Österreich. Der englische und der französische Premierminister wussten, dass ihre Länder auf einen Krieg nicht vorbereitet waren, trotzdem stimmten beide im September 1938 in München widerstrebend der deutschen Annektierung wichtiger Grenzgebiete der Tschechoslowakei zu, in denen ein Großteil der Bevölkerung deutschsprachig war. Im März 1939 wurde der Rest der Tschechoslowakei besetzt – ein flagranter Bruch des Versprechens, das Hitler nur sechs Monate zuvor Mr Chamberlain gegeben hatte.

Jetzt war jedermann klar, dass Hitlers Expansionsgelüste grenzenlos waren. Sein nächstes Opfer wurde Polen. Seit hundertfünfzig Jahren hatten Teile Polens zu Preußen gehört, bis die Polen 1918 endlich ihre Freiheit wiedererlangten. Nun beschloss Hitler, sie erneut zu versklaven. Die britischen und französischen Regierungen warnten ihn eindringlich, dass ein Angriff auf Polen beide Länder in den Krieg eintreten lassen würde.

Hitler, trunken von leichten Erfolgen, glaubte nicht, dass wir kämpfen würden. Er hielt uns für zu „dekadent". Am 1. September besetzte er die Freistadt Danzig; seine Armeen marschierten in Polen ein, und der Zweite Weltkrieg hatte begonnen.

– WAS DIE NAZIS AUS DEUTSCHLAND
GEMACHT HABEN –

Wenn Deutschland besiegt ist, werden Hitler und seine Bande aus Naziführern weggefegt werden, aber es wird nicht möglich sein, unter den Millionen Deutschen aufzuräumen, die irgendwann das Parteiabzeichen der Nazis getragen haben. Das System wird einen tiefen Einschnitt im Leben der Deutschen hinterlassen, und wenn Sie die Deutschen verstehen wollen, müssen Sie etwas darüber wissen, wie das System funktioniert hat.

Unter den Nazis ist Deutschland ein „totalitärer Staat". Hitler ist der Diktator oder „Führer". Er vereint in sich nicht nur die Funktionen des Präsidenten und Kanzlers; er ist auch oberster Gesetzgeber, oberster Richter, Verwaltungschef, Oberbefehlshaber der Streitkräfte und Vorsitzender der Nazipartei. Das Kabinett berät ihn lediglich; das Parlament (der Reichstag) nimmt lediglich seine Entscheidungen entgegen und applaudiert. Seine Stellung ist despotischer als die König Johanns von England, bis vor mehr als 700 Jahren die Magna Carta dessen Macht beschnitt.

An der Spitze aller 15 Länder, aus denen Deutschland besteht, steht jeweils eine von Hitlers Schranzen. Diese Ländergouverneure (Reichsstatthalter) ernennen die Provinzverwaltungen, die wiederum ihre Untergebenen ernennen und so weiter bis hinunter zum kleinsten Angestellten. In Nazideutschland kann niemand Staats- oder Verwaltungsdienst leisten, der gegenüber Hitler und seinen Schranzen nicht als loyal gilt.

Aber das ist nur die halbe Geschichte.

Die Nazipartei. Neben der Naziregierung und mit ihr eng verflochten steht die Nazipartei. Die Partei hat ihr eigenes Netzwerk aus Funktionären vom Gauleiter, der einen der 42 Gaue kontrolliert, in die Deutschland zum Zweck der Parteiorganisation unterteilt ist, hinunter bis zur kleinsten Funktion des Blockwarts, der einem Häuserblock vorsteht.

Obwohl der gleiche Mann häufig sowohl Regierungsbeamter als auch Parteifunktionär ist, unterscheiden sich die Funktionen der Regierung und der Partei zumindest theoretisch voneinander.

Die Hauptaufgabe der Partei besteht darin, den Glauben und die Begeisterung der Bevölkerung für Hitler am Kochen zu halten und die Hitze für diejenigen zu erhöhen, die bislang nur lauwarm sind. Die Funktion der Regierung besteht darin, Hitlers Befehle in die Praxis umzusetzen und das Land gemäß der von ihm vorgegebenen Richtlinien zu führen.

Die nationale Armee steht natürlich im Dienst der Regierung, aber die Partei verfügt für ihre eigenen Zwecke über eine Privatarmee. Diese Parteiarmee heißt **S. A. (Sturm-Abteilung).** 1934 kam es jedoch zu Spannungen zwischen der S.A. und der regulären Armee, und Hitler, der die Unterstützung der regulären Armee erreichen wollte, ließ viele der führenden S.A.-Männer (einschließlich ihres Kommandanten, Hauptmann Röhm) massakrieren.

Hitlers Leibgarde, die **S.S. (Schutz-Staffel),** eine sorgfältiger verlesene und besser ausgebildete Schlägertruppe, trat damals als Hitlers persönliche Militärmacht an der Heimatfront an die Stelle der S.A.

Die berüchtigte **Gestapo (Geheime Staatspolizei),** verantwortlich für die Jagd auf Oppositionelle und deren Ermordung oder das Brechen ihres Widerstandsgeistes in Konzentrationslagern, ist eine weitere Säule von Hitlers Machterhalt.

Alle anderen politischen Parteien, aber auch Gewerkschaften, Genossenschaften, sogar Pfadfinder und religiöse Organisationen für Kinder und Jugendliche wurden verboten oder von der Nazipartei übernommen, sodass sich kein deutscher Mann, keine Frau und kein Kind ihrem Einfluss entziehen kann.

Wenn Sie nach Deutschland kommen, wird dieses teuflische System hinweggefegt sein, aber das deutsche

Volk wird sich schwer damit tun, einen Großteil des Naziglaubens abzuschütteln. '

„Mein Kampf". Hitlers barbarische und gewalttätige Überzeugungen, von denen nur wenige typisch für deutsches Denken sind, sind ausgeführt in seinem Buch *Mein Kampf*, das alle Deutschen gelesen haben sollen.

Laut Hitler steht der Staat über dem Volk. Der Einzelne muss zugunsten des Wohlergehens des Staats auf seine Rechte, Freiheiten, Überzeugungen, sogar auf seine Religion verzichten. Aber Hitler behauptet, dass die Deutschen ein auserwähltes Volk seien; sie sind nicht nur Arier (womit er offenbar Einwohner Nordeuropas meinte), sondern auch die Herrenrasse, und es ist ihre Bestimmung, alle anderen Nationen zu beherrschen und zu führen.

Die natürlichen Feinde der Herrenrasse sind Nichtarier (Juden), Bolschewiken und Plutokraten. Mit „Plutokraten" meinen die Nazis im Allgemeinen unsereinen und die Amerikaner.

Da es für eine Herrenrasse offenbar unmöglich ist, in einer Schlacht zu unterliegen, behaupten die Nazis, dass die deutschen Armeen 1918 nicht besiegt worden seien. Deutschland, sagen sie, hätte gesiegt, wenn die Juden, Bolschewisten und anderen Landesverräter

dem Land nicht hinterrücks den „Dolchstoß" erteilt
hätten.

Die christlichen Tugenden der Freundlichkeit und
Gerechtigkeit gelten der Herrenrasse als unwürdig,
und die Nazis haben versucht, sie auszurotten. Das
brachte Hitler in Konflikt mit den Kirchen. Er versuchte nicht nur, die Protestanten und Katholiken zu
unterdrücken, sondern forderte auch die Nazis dazu
auf, eigene halb-heidnische Religionen einzuführen.

Es erscheint befremdlich, dass derart wüste Ideen
noch im 20. Jahrhundert einer Nation aufoktroyiert
werden konnten, aber in **Hitlers Ideologie stecken
viele tief verwurzelte deutsche „Komplexe" wie
etwa der Judenhass als ein Wunsch, über andere
Menschen zu herrschen**, und eine Bereitschaft zu
glauben, dass sie selbst die Verfolgten sind.

Wer, fragen Sie sich jetzt vielleicht, sind diese Nazis,
die auf solche pervertierten Ideen und deren grausame
Umsetzung hereinfallen?

In der Anfangszeit gab es unter ihnen ein paar fehl-
geleitete Idealisten, aber die Führer sind böse und
rücksichtslose Männer, die ihre Macht benutzt haben,
um sich zu bereichern, indem sie erst ihre deutschen
Landsleute und dann andere Nationen ausgeplündert
haben. So sind sie sagenhaft reich geworden. Sie stehen außerhalb und über dem deutschen Gesetz. Für

ihre Verbrechen mussten sie niemand anderem als Hitler Rede und Antwort stehen, und er hat sie dazu noch
ermuntert.

– WAS DER KRIEG AUS DEUTSCHLAND GEMACHT HAT –

Das Deutschland, das Sie sehen werden, unterscheidet sich sehr stark vom Deutschland der Friedenszeit.

Wenn Sie von Westen einrücken, kommen Sie in das am stärksten zerbombte Gebiet Europas. Hier sind die Zerstörungen um ein Vielfaches größer als alles, was man in London, Coventry oder Bristol gesehen hat. Zum Vergleich folgende Zahlen: Innerhalb von elf Monaten (September 1940 bis Juli 1941) warfen die Deutschen 7500 Tonnen Bomben auf London ab – wir haben bei zwei Angriffen zwischen Samstagmorgen und Sonntagabend am 14. und 15. Oktober 1944 fast 10.000 Tonnen auf Duisburg abgeworfen. In westdeutschen Städten von Hamburg bis weiter südlich durchs Industriegebiet an der Ruhr und im Rheinland – mit Essen, Düsseldorf, Duisburg und vielen anderen Zentren – und nach Osten bis Nürnberg und München werden Sie Gebiete sehen, die weitgehend aus Trümmern und Hausmauern ohne Dächer und Fenster bestehen. In Mitteldeutschland ist es um Städte wie Berlin und Hannover nicht besser bestellt.

An all diesen Orten ist das kommunale Leben zusammengebrochen. Es haben Massenevakuierungen nicht nur von Kindern, sondern auch der erwachsenen

24

Bevölkerung stattgefunden. Geblieben sind nur diejenigen, die nötig waren, um die noch intakten Fabriken zu betreiben, den Zivilschutz aufrechtzuerhalten, Rettungsdienst, Polizei und andere unentbehrliche Dienste. Sobald etwas repariert wurde, hat die R.A.F. es wieder bombardiert und erneut zerstört.

Zehntausende Deutsche sind bei diesen Angriffen ums Leben gekommen oder verletzt worden, haben ihr Hab und Gut verloren und konnten es wegen der Versorgungsengpässe nicht ersetzen.

Wer anderen eine Grube gräbt. In West- und Mitteldeutschland findet man ein Kriegsgebiet voll trostloser Armut und Verzweiflung. Den Deutschen ist wahrlich kräftig vergolten worden, was sie in Warschau, Rotterdam und Belgrad angerichtet haben.

Aber das deutsche Volk musste noch weitere Entbehrungen auf sich nehmen. Vermutlich sind über dreieinhalb Millionen deutsche Soldaten gefallen und eine weitere Million schwer verwundet.

Die Lebensmittelversorgung für die deutsche Zivilbevölkerung war bereits vor dem Krieg eingeschränkt gemäß der Devise „Kanonen statt Butter". Während des Kriegs waren ihre Rationen deutlich schmaler als unsere; sie hatten weniger Fleisch, Brot und Milch, und die Qualität der Nahrungsmittel war schlecht.

Viele Menschen, die Sie in den Städten sehen werden, dürften unterernährt sein, verhungern aber nicht wie die Menschen in Polen und Griechenland.

Darüber hinaus sind die deutschen Arbeiter, die noch in der Industrie verblieben sind, und die Millionen Frauen, die in die Fabriken eingezogen wurden, erschöpft von langen, harten Arbeitszeiten, denen oft schlaflose Nächte in Luftschutzbunkern folgten. Sie müssen deshalb damit rechnen, auf eine Bevölkerung zu treffen, die hungrig, erschöpft und am Rand der Verzweiflung ist.

Sie werden vermutlich bemerken, dass der öffentliche Dienst und die Versorgung mangelhaft sind, und es wird dringend notwendig sein, sie wieder in Gang zu bringen. Abgesehen vom partiellen Zusammenbruch, der den Bombardierungen und der Niederlage geschuldet ist, bedeutet das Ende der Nazipartei, dass ein Großteil alltäglicher Arbeit unerledigt bleibt, weil die örtlichen Nazigrößen neben ihrer Hauptaufgabe, ihre deutschen Landsleute zu reglementieren, auch nützliche Organisations- und Hilfsdienste geleistet haben.

Um das Bild abzurunden, werden Sie wahrscheinlich Gruppen **ausländischer Arbeiter** vorfinden, die versuchen, nach Hause zu kommen, zumeist Männer und Frauen, **die nach Deutschland verschleppt und dort gezwungen wurden, Sklavenarbeit für**

die deutsche Kriegsmaschinerie zu verrichten.
Bei Kriegsende werden Millionen dieser ausländischen
Arbeiter – Russen, Franzosen, Polen, Tschechen, Bel-
gier, Italiener und andere – in Deutschland arbeiten.
Kriegsgefangene, von denen Deutschland mehrere
Millionen hat, müssen ebenfalls aus Lagern, Bauern-
höfen und Fabriken befreit und zurück in die Heimat
geschickt werden.

– WIE DIE DEUTSCHEN SIND –

Wenn Sie die Deutschen kennenlernen, denken Sie wahrscheinlich, dass sie uns sehr ähnlich sind.

Sie sehen aus wie wir, nur dass es den drahtigen Typus seltener gibt, sondern eher große, fleischige, hellhaarige Männer und Frauen, besonders im Norden.

Aber sie sind uns nicht so ähnlich, wie es scheinen mag.

Die Deutschen haben natürlich viele gute Eigenschaften. Sie sind sehr fleißig und gründlich. Sie sind gehorsam und lieben Sauberkeit und Ordnung über alles. Sie sind sehr an formeller Erziehung interessiert und sind stolz auf ihre „Kultur" und ihre Wertschätzung der Musik, Kunst und Literatur.

Doch seit Jahrhunderten sind sie daran gewöhnt, sich Autoritäten zu fügen – nicht etwa, weil sie ihre Herrscher für weise und gerecht hielten, sondern weil ihr Gehorsam mit Gewalt erzwungen wurde.

Die alte preußische Armee – wie auch die Naziarmee – haben mit Absicht die Moral der Rekruten gebrochen. Sie wurden zu stumpfsinnigen und erniedrigenden Dingen gezwungen, um ihr Selbstbewusstsein zu zerstören und sie in widerspruchslose Kampfmaschinen zu verwandeln. Diese Methode brachte eine beeindruckende Militärmacht hervor, aber keine guten, menschlichen Wesen. Sie ließ die Deutschen vor der Autorität kuschen.

Das ist einer der Gründe, warum sie Hitler akzeptierten. Er kommandierte sie herum, und das gefiel den meisten. Es ersparte ihnen die Mühe des Nachdenkens. Sie mussten lediglich gehorchen und konnten das Denken ihm überlassen.

Sie glaubten, dass es sie auch von der Verantwortung befreite. Mit den barbarischen Grausamkeiten der Gestapo und der S. S. wollten sie nichts zu tun haben. Sie hatten nicht darum gebeten; sie wollten nichts davon wissen. Die Vergewaltigung Norwegens, Hollands und Belgiens war nicht ihre Sache. Es war die Sache Hitlers und des Generalstabs.

Das ist die Geschichte, wie sie von den Deutschen immer wieder erzählt werden wird. Sie werden voller Überzeugung vorbringen, dass sie so unschuldig sind wie ein Baby an der Mutterbrust.

Aber ganz so einfach kann sich das deutsche Volk nicht aus der Verantwortung stehlen. Man muss daran erinnern, dass Hitler auf ganz legalem Weg Kanzler wurde. Fast die Hälfte der wahlberechtigten Deutschen stimmte 1933 bei der letzten (vergleichsweise) freien Wahl für ihn. Mit dem Stimmenanteil der Deutschnationalen Verbündeten hatte er eine klare Mehrheit. Die Deutschen wussten, wofür er stand – es stand in seinem Buch –, und sie waren damit einverstanden. Hitler war bei der Mehrheit der Deutschen enorm beliebt. Sie hielten ihn für den Erneuerer deutscher Größe. Sie begrüßten den Rückgang der Arbeitslosigkeit, obwohl sie wussten, dass dies der Wehrpflicht und Wiederaufrüstung zu verdanken war. **Nach der Niederlage Frankreichs unterstützten die meisten Deutschen Hitlers militärische Eroberungen mit Begeisterung. Erst als sie den eisigen Wind der Niederlage spürten, entdeckten sie ihr Gewissen.**

Das deutsche Denken. Die Deutschen lieben militärisches Gepränge. In Nazideutschland trägt jeder eine Uniform. Wenn es nicht die Uniform der Armee, Marine oder Luftwaffe ist, dann ist es die der S.A., S.S. oder einer anderen Parteiorganisation. Sogar die kleinen Jungen und Mädchen laufen in den Uniformen der Hitlerjugend oder des Bunds Deutscher Mädel herum.

Solche Uniformen mögen den Deutschen immer noch imponieren, aber Ihnen werden sie nicht imponieren. Sie müssen jedoch der Stellung des normalen deutschen Polizisten gerecht werden. Britischen Truppenmitgliedern hat dieser zwar nichts zu sagen, aber Sie sollten nichts tun, was ihm seine Aufgaben erschwert, die ihm von den Alliierten aufgetragen worden sind.

Respektieren müssen Sie nur die Uniformen der alliierten britischen und amerikanischen Streitkräfte.

Es ist wichtig, dass Sie in Ihrer äußeren Erscheinung und Ihrem Verhalten **korrekt und soldatisch auftreten.** Vor einem schlampigen Soldaten haben die Deutschen keinen Respekt.

Sie werden Deutschen begegnen, die sich zutiefst dafür schämen, Deutsche zu sein. Schon bevor Hitler die Deutschen auf der ganzen Welt verhasst machte, litten sie unter einem nationalen Minderwertigkeitsgefühl. Sie hatten das Gefühl, dass andere Nationen, wie die Briten, Amerikaner und Franzosen, ihnen irgendwie voraus waren. Es ist kaum zu bezweifeln, dass Hitler das begriff und seine Theorie der Herrenrasse nutzte, um dieses Gefühl auszutreiben. Er versuchte, den Deutschen Hochachtung vor sich selbst zu vermitteln, und dabei übertrieb er. Es wird einige geben – insbesondere unter den Jüngeren –, die die Legende, sie seien Mitglieder der Herrenrasse, geschluckt haben und sich uns deshalb überlegen fühlen.

Über die deutsche Brutalität gibt es nicht mehr viel zu sagen. Sie hat sich in den Nazimethoden des Regierens und der Kriegsführung unmissverständlich entlarvt. Aber es mag Ihnen merkwürdig vorkommen, dass die Deutschen zugleich sentimental sind. Sie lieben melancholische Lieder. Sie neigen zu Selbstmitleid. Selbst kinderlose alte Ehepaare bestehen auf ihrem eigenen Weihnachtsbaum. Deutsche Soldaten haben mit polnischen und russischen Kindern gespielt, und dennoch gibt es genügend authentische Berichte, dass eben diese Kinder erschossen oder verbrannt wurden oder verhungerten.

Diese Mischung aus Sentimentalität und Gefühlskälte zeugt nicht von einem ausgewogenen Selbstbewusstsein. Die Deutschen haben ihre Gefühle nicht gut im Griff. Sie weisen einen hysterischen Charakterzug auf. Sie werden feststellen, dass Deutsche häufig bereits in Wut geraten, wenn auch nur die kleinste Kleinigkeit danebengeht.

Wie Hitler sie geformt hat. Hitler machte sich daran, diese Schwächen und Laster des deutschen Charakters für seine Zwecke zu nutzen.

Er wollte, dass seine Nazis noch brutaler werden, weil er glaubte, die deutsche Nation auf diese Weise in Angst und Schrecken versetzen und andere Nationen unterjochen zu können. Zehntausende junger Männer sind in der S.S. systematisch zu Folterknechten und Henkern gedrillt worden. Manche wurden darüber wahnsinnig, aber andere gelangten an einen Punkt, wo sie jede Grausamkeit mit Gleichgültigkeit, wenn nicht gar mit Vergnügen ausführen konnten.

Einfachen Bürgern wurde beigebracht sich gegenseitig zu bespitzeln. Kleine Jungen und Mädchen wurden in der Hitlerjugend dazu aufgefordert, ihre Eltern und Lehrer zu denunzieren, wenn sie so unvorsichtig sein sollten, kritische Bemerkungen über Hitler oder seine Regierung zu machen. Das führte dazu, dass in Nazideutschland niemand seinem Nächsten trauen kann; freundschaftliche und familiäre Bindungen sind zerrüttet, und Tausende von deutschen Nazigegnern sind dazu gezwungen worden, sogar unter ihren eigenen Dächern Bewunderung für die Männer und Prinzipien zu heucheln, die sie von ganzem Herzen verachten. Lüge und Heuchelei wurden überlebensnotwendig.

Hitlers eigene Vertrauensbrüche – insbesondere im Umgang mit anderen Nationen – wurden als diplomatische Meisterleistungen dargestellt. Die Deutschen bewunderten seine Erfolge, und nach und nach bewunderten sie auch seine Methoden.

Das Schlimmste ist aber vielleicht, dass an den Schulen und in der Hitlerjugend den deutschen Kindern eingebläut wurde, dass Macht vor Recht geht, Krieg die edelste Form menschlichen Tuns und das Christentum nichts als schmalziger Kitsch ist. Indem man die Köpfe der Kinder mit Naziideen vollstopfte und andere Ideen von ihnen fernhielt, hoffte Hitler, eine Roboterrasse ganz nach seinem Herzen heranzüchten zu können. Derzeit können wir noch nicht beurteilen, inwieweit dieser unmenschliche Plan erfolgreich war.

Sie dürfen sich also nicht wundern, wenn sich herausstellt, dass uns der Deutsche weniger ähnlich ist, als es auf den ersten Blick zu sein scheint.

Das bedeutet nicht, dass alle Deutschen Lügner, Heuchler und Unmenschen sind. Selbst die Erziehungsmethoden der Nazis waren am Ende nicht sehr erfolgreich. Es bedeutet jedoch, dass sich der deutsche Nationalcharakter unter dem Einfluss der Nazis deutlich verschlechtert hat. **Seien Sie auf der Hut.** Wenn Sie mit Deutschen Umgang haben, müssen Sie auf der Hut sein. **Nach dem letzten Krieg haben sie uns überlistet:** Viele von uns schluckten ihre Geschichte über den „grausamen" Versailler Vertrag, obwohl er eigentlich viel milder war als die Bedingungen, die sie selbst ein Jahr zuvor den Russen auferlegt hatten. Viele von uns glaubten ihren Reden von Abrüstung und der Ernsthaftigkeit ihrer Sehnsucht nach Frieden. Und so gerieten wir in diesen Krieg, der bedeutend größer als der vorige war. **Es gibt Anzeichen dafür, dass die deutschen Führer bereits wieder Pläne für einen**

Dritten Weltkrieg schmieden. Das muss verhindert werden, koste es, was es wolle.

Wenn Sie nach Deutschland kommen, besteht die Möglichkeit, dass einige Zivilisten Ihre Ankunft begrüßen und Sie als Befreier von der Tyrannei Hitlers ansehen werden. Das werden diejenigen sein, die sich Hitler auch während dessen erfolgreicher Jahre widersetzt haben. Nicht, dass sie öffentliche Reden gegen ihn gehalten oder Sabotage begangen hätten: Wer dergleichen getan hat, dürfte wahrscheinlich nicht mehr am Leben sein, um Sie zu begrüßen. Aber es gibt viele, die sich treu geblieben sind und Hitler während der ganzen Zeit passiv widerstanden haben.

In der Regel handelt es sich um treue Mitglieder der politischen Parteien, die Hitler unterdrückt hat, zumeist Arbeiter, aber häufig auch ehrenwerte Leute aus dem Mittelstand. Oder es sind Katholiken oder Protestanten, die Widerstand gegen Hitler leisteten, weil er das Christentum verfolgte.

Aber viele Deutsche werden einfach behaupten, Nazigegner gewesen zu sein, weil sie auf der Seite des Siegers stehen wollen. Unter ihnen werden sich viele zweifelhafte Charaktere befinden. Selbst diejenigen, die die besten Absichten zu haben scheinen, können nicht als vertrauenswürdig gelten: Mit Sicherheit haben auch sie etwas auf dem Kerbholz. Das ist einer der Gründe, warum Sie dazu aufgefordert werden, nicht mit den Deutschen zu fraternisieren.

Es gibt fanatische junge Nazis – sowohl Mädchen als auch Jungen –, deren Hirne und Herzen immer noch voll der grausamen Lehren sind, die sie in der Hitlerjugend aufgesogen haben. Ihre Worte, wenn Sie sie je gehört haben sollten, mögen plausibel und womöglich sogar richtig klingen, denn Hitlers Propagandisten haben natürlich seine Ideen so verpackt, dass sie für die Jugend attraktiv sind. Aber denken Sie daran, dass sich die wahre Bedeutung des Nazismus in seinen grausamen Taten erweist, nicht in schönen Worten.

Und es ist durchaus möglich, dass Sie eines Tages einen der wirklichen Schläger vor sich haben, einen der ehemaligen Mörder oder verbrecherischen Naziführer. Er mag versuchen, seinen Einfluss geltend zu machen, oder er mag sich vor Ihnen krümmen und um Gnade winseln. Solche Leute verstehen nur die Sprache der Gewalt.

Die Behörden wissen, wie mit ihnen umzugehen ist.

Wenn wir einmal die extreme Nazi-Ideologie außen vor lassen, sehen die Deutschen uns Briten im Allgemeinen etwa folgendermaßen:

Die Briten arbeiten nicht so hart wie die Deutschen oder nehmen ihre Arbeit nicht so ernst.

Die Briten sind nicht so gut organisiert wie die Deutschen. (In Wirklichkeit übertreibt der Deutsche das Organisatorische. Dieser Krieg hat erwiesen, dass unser Organisationsvermögen, wenn wir es richtig anpacken, genauso effizient und sogar noch flexibler ist.)

Alles in allem bewundern die Deutschen jedoch die Briten. Die Anstrengungen des deutschen Propagandaministeriums, Hass gegen uns zu schüren, waren trotz der Luftangriffe der R.A.F. nicht besonders erfolgreich. Wahrscheinlich sind wir und die Amerikaner unter allen Besatzungstruppen der Vereinigten Nationen die am wenigsten unwillkommenen.

Sogar Hitler zollte uns widerwillig Respekt, wie er in *Mein Kampf* einräumte. Er beneidete uns um das britische Weltreich und bewunderte die nationalen Qualitäten, die dessen Aufbau ermöglichten – Fantasie, Unternehmungsgeist und zähe Ausdauer. Er meinte jedoch, dass wir dekadent geworden seien und diese Qualitäten verloren hätten. Unsere Streitkräfte – und die Zivilisten in der Heimat – haben das Gegenteil bewiesen.

Deutsche glauben, dass wir noch andere nationale Tugenden haben. Sie meinen, dass wir fair sind, anständig und tolerant, und dass wir politisch über gesunden Menschenverstand verfügen.

Da der Nazitraum von der Weltherrschaft jetzt zerschlagen ist, wirken diese schlichten Eigenschaften sogar noch attraktiver, und heute würden wahrscheinlich viele Deutsche sagen, dass ihre Idealvorstellung des neuen Deutschlands in etwa dem Bilde der Deutschen von Großbritannien entspricht.

Solange Sie in Deutschland Dienst tun, sind Sie Repräsentanten Großbritanniens. Ihr Verhalten wird die Meinung prägen, die die Deutschen sich von uns machen.

Ihre Meinung schätzen wir nicht etwa um ihrer selbst willen. Es ist jedoch gut für die Deutschen, wenn sie sehen, dass Soldaten der britischen Demokratie gelassen und selbstbewusst sind, dass sie im Umgang mit einer besiegten Nation streng, aber zugleich auch fair und anständig sein können. Die Deutschen müssen selber fair und anständig werden, wenn wir später mit ihnen in Frieden leben wollen.

Aber die Deutschen haben noch eine andere Lieblingsidee. Sie behaupten, dass wir ihnen national ähnlich sind, und bezeichnen uns als ihre „Vettern". Das hängt mit ihrer Theorie von der Überlegenheit der nordischen Rasse zusammen.

Die Ähnlichkeit, so sie überhaupt existiert, ist nur oberflächlich. **Je tiefer man in den deutschen Charakter eindringt, desto deutlicher wird, wie sehr sie sich von uns unterscheiden. Lassen Sie sich also nicht von flüchtigen Eindrücken leiten.**

Die Deutschen denken über die Amerikaner im Wesentlichen das Gleiche wie über uns, kennen sie aber nicht so gut, und viele ihrer Vorstellungen nähren sich aus Hollywoodfilmen, die früher in Deutschland sehr beliebt waren. Deswegen glauben sie beispielsweise, dass alle Amerikaner reich sind. Ihr Vorurteil gegen die amerikanischen Truppen als „Amateur-Soldaten" hat sich in der Realität der Schlachten als falsch erwiesen.

Die Haltung der Deutschen gegenüber den Russen ist völlig anders. Unter Hitler hat man ihnen beigebracht, die Russen als Untermenschen anzusehen. Dadurch sollten etwaige Skrupel, die sie wegen der barbarischen Methoden der deutschen Kriegsführung an der russischen Front haben könnten, zerstreut werden. Der Sowjetbürger, hat Hitler gesagt, sei geringer als ein menschliches Wesen, sodass kein Umgang mit ihm zu grausam sein könne. Die „Bolschewisten" galten gemeinsam mit den Juden als Menschheitsfeind Nr. 1.

Als die Rote Armee vorrückte, verdoppelte Hitler seine Propaganda. Er hoffte, damit seine Truppen und die Zivilisten in der Heimat dazu anzustacheln, bis zum Tod Widerstand zu leisten. Und bis zu einem gewissen Grad ist ihm das auch gelungen.

Die Verbissenheit des Befreiungskampfs der Roten Armee ist leicht verständlich. **Wie es typisch für Hitler war, überfiel er Russland, als der Nichtangriffspakt, den er mit Russland geschlossen hatte, noch in Kraft war.** Seine Soldaten und die S. S. drängte er zu Gräueltaten, die barbarischer waren als alles, was die Geschichte der Moderne je gekannt hat – mit Ausnahme dessen, was in Polen geschehen ist. Seitdem die Deutschen 1941 Russland überfallen hatten, verbreitete die Propaganda ohne jede Grundlage Schreckensmeldungen über die „bolschewistische Bedrohung". Die Absicht war eindeutig – man wollte einen Keil zwischen uns und unseren russischen Alliierten treiben. Denken Sie daran, wenn die Deutschen Lügengeschichten über die Rote Armee zu verbreiten suchen.

Die Anweisungen, die Sie in Deutschland bekommen, werden für reichlich Distanz zwischen Ihnen und den Deutschen sorgen. Wahrscheinlich werden Sie nur selten, wenn überhaupt, ein Haus betreten, in dem Deutsche leben, und Sie werden auch keine Deutschen bei geselligen Anlässen treffen. Aber um zu verstehen, was um Sie herum vorgeht, müssen Sie etwas darüber wissen, wie sie leben.

In allen Ländern Mittel- und Westeuropas unterscheidet sich das Leben – in Friedenszeiten – nicht wesentlich von dem bei uns zu Hause, aber es gibt eine ganze Menge kleinerer Unterschiede. Da wäre zum Beispiel:

Essen. Wahrscheinlich werden Sie nur selten typisch deutsches Essen vorgesetzt bekommen. Und falls doch, dürfte es sich stark vom deutschen Essen vor dem Krieg unterscheiden. Wahrscheinlich wird es lange dauern, bis sich die Versorgungslage in Deutschland wieder normalisiert.

Die gute deutsche Küche bietet einige charakteristische köstliche Gerichte. Der größte Unterschied zur englischen Küche besteht in der Zubereitung des Gemüses. Statt des englischen gekochten Grünzeugs servieren die Deutschen einen weißen, eingelegten Kohl, der Sauerkohl heißt, oder einen roten Kohl, der Rotkohl heißt. Beide sind sehr lecker, wenn man sie zu Wiener Schnitzel (gebratenes Kalb) oder Schweinekotelett isst.

Die Deutschen essen lieber Schweine- und Kalbfleisch als Rindfleisch und Schaf und kochen es auch besser. Aber das Grundnahrungsmittel aus Fleisch ist die Wurst. Die beste deutsche Wurst wird kalt gegessen, und es gibt Hunderte von Sorten. Zwei hervorragende Wurstsorten sind die Mettwurst und die Leberwurst.

Die Deutschen lieben Torten mit Schlagsahne, aber es wird noch eine Weile dauern, bis solche Köstlichkeiten wieder in der Konditorei erhältlich sind. Die Deutschen wissen nicht, wie man Tee zubereitet, aber sie verstehen durchaus etwas von Kaffee. Allerdings haben sie derzeit nur „Ersatz"-Kaffee.

„Am liebsten Bier." Das beliebteste deutsche Getränk ist Bier. Unter den Bedingungen des Kriegs ist es noch stärker verdünnt worden als englisches Bier, gilt jedoch normalerweise als das beste Bier Europas. Es gibt mehrere Hundert Brauarten. Zwei der berühmtesten sind die Münchner (aus München) und die Pilsener (aus Pilsen in der Tschechoslowakei). Regionale

Biere sind entweder hell oder dunkel. Alle deutschen Biere werden gekühlt.

Westdeutschland produziert ein paar der gepflegtesten Weine des Kontinents wie etwa den Moselwein und den Rheinwein (bei uns „Hock" genannt). Verglichen mit den Preisen in Großbritannien ist Wein billig.

Whiskey und Gin sind selten und von schlechter Qualität (es sei denn, sie sind aus Großbritannien importiert), **aber es gibt viele Alkoholsorten, die Schnaps genannt werden. Die billigeren Sorten verbrennen einem die Kehle.**

Unterhaltung. Für Ihre Unterhaltung sorgt die E. N. S. A.[3] in Ihrem Lager oder Ihrer Kaserne, und die meisten deutschen Unterhaltungsstätten kommen für Sie nicht in Betracht. Die Deutschen werden natürlich in die Kinos gehen, wo vermutlich britische, amerikanische und russische Filme gezeigt werden. Vielleicht gibt es sogar deutsche Filme – unpolitische. Aber deutsche Filme, die bis 1933 sehr gut waren, litten wie so viele andere Dinge darunter, dass Hitler darauf bestand, sie zu Instrumenten der Nazipropaganda zu ma-

---

3 Anmerkung des Übersetzers: E. N. S. A. = Entertainments National Service Association, die britische Truppenbetreuung mit Unterhaltungsprogrammen

chen, und deshalb dürfte es anfangs nur sehr wenige geben, die frei von diesem Makel sind. Das gilt auch für deutsche Theaterstücke.

Sport. Die Deutschen treiben erst seit den letzten dreißig Jahren Sport, sind aber eifrig dabei und zeigen gute Leistungen. Die meisten Sportarten lernten sie von uns. Fußball ist das beliebteste Spiel, wird aber nicht so kämpferisch wie in Großbritannien gespielt. Härte gilt als Foul. Fußball ist reiner Amateursport und Prämien sind unbekannt. Es gibt kein Kricket, aber viel Leichtathletik, etwas Tennis und ein wenig Golf. Boxen und Ringen sind beliebte Veranstaltungen, und die Deutschen gehen auch durchaus gern zu Radrennen.

Gesundheit. Die normalerweise hohen Gesundheitsstandards sind infolge des Kriegs gesunken. Geschlechtskrankheiten sind weit verbreitet. Ein deutscher Experte stellte (im Mai 1943) fest: „Geschlechtskrankheiten betreffen jede vierte Person im Alter zwischen 15 und 41 Jahren."

Frauen. Bevor Hitler an die Macht kam, war die deutsche Frau im Begriff, die gleiche Freiheit wie britische Frauen zu erlangen, ein selbstbestimmtes Leben zu führen. Aber die Nazis sprachen ihr die neu gewonnenen Rechte wieder ab und machten sie wieder zur traditionellen Hausfrau. Während der Kriegszeit verhalf der Mangel an männlichen Arbeitskräften den Frauen in die Berufstätigkeit zurück, sie wurden dort allerdings lediglich geduldet.

Unter dem Schock der Niederlage wird das Niveau persönlicher Anständigkeit, das bereits von den Nazis untergraben wurde, noch tiefer sinken. Zahlreiche deutsche Frauen werden, wenn sich ihnen die Möglichkeit bietet, bereit sein, sich zu erniedrigen, um von Ihnen zu profitieren. Nach dem letzten Krieg strömten Prostituierte in die von britischen und amerikanischen Truppen besetzten Gebiete. Das werden sie wahrscheinlich erneut versuchen, obwohl Sie diesmal von den Deutschen getrennt untergebracht sind. Seien Sie auf der Hut. Die meisten werden infiziert sein.

Eheschließungen zwischen Mitgliedern der britischen Streitkräfte und Deutschen sind, wie Sie wissen, verboten.

Ohne dieses Verbot würden solche Eheschließungen aber sicherlich zustande kommen. Denn Deutschland wird nach dem Krieg noch für eine ganze Weile kein angenehmer Aufenthaltsort sein, und deutsche Mädchen wissen, dass sie, wenn sie britische Männer heiraten, Britinnen werden und alle Vorteile genießen können, die einer siegreichen Nation im Gegensatz zu einer besiegten zukommen. Viele deutsche Mädchen werden nur auf die Gelegenheit warten, einen Briten zu heiraten – ob sie ihn nun mögen oder nicht. Sobald sie ihre Ehepapiere unterzeichnet haben, hat der Mann seine Schuldigkeit getan.

Während der letzten Besatzungszeit gab es eine ganze Reihe von Ehen zwischen britischen Soldaten und deutschen Mädchen. Die überwiegende Mehrheit dieser Ehen fand schnell ihr trauriges Ende. Wenn die Paare nach England zurückkehrten, waren sie isoliert und hatten keine Freunde, und für Frau, Mann und Kinder führte das lediglich zu Unzufriedenheit. Das ist einer der Gründe – wenn auch nicht der einzige –, warum es diesmal nicht erlaubt sein wird.

Religion. Große Teile Deutschlands sind protestantisch seit der Reformation im frühen 16. Jahrhundert, als Martin Luther den Aufstand gegen das Papsttum anführte. Heute sind etwa zwei Drittel Deutschlands protestantisch und ein Drittel katholisch. Die Protestanten sind in Nord- und Mitteldeutschland stärker vertreten, die Katholiken im Westen, Süden und Südosten.

Viele der katholischen Kirchen sind sehr schön und alt. Manche, wie der Kölner Dom, sind bei Luftangriffen leider beschädigt worden, aber es gibt noch viele andere prächtige und alte Kirchen, die einen Besuch lohnen. Einige der berühmtesten sind: in Mitteldeutschland der Naumburger und Hildesheimer Dom, in Süddeutschland die Dome von Speyer, Bamberg und Worms.

Musik. Die Deutschen hegen eine große Liebe zur Musik und haben höchst bedeutende Komponisten und Instrumentalisten hervorgebracht. Beethoven, Bach, Brahms, Wagner – sie alle waren Deutsche. In den meisten größeren deutschen Städten gibt es gute Konzerte klassischer Musik.

Jazz und Swing werden von den Nazis missbilligt, weil sie nicht als nordisch gelten, aber die Deutschen tanzen gern, und manche Tanzorchester spielen immer noch die neusten amerikanischen und britischen Schlager.

Literatur. Viele der besten deutschen Schriftsteller haben bereits vor seiner Machtergreifung gegen Hitler opponiert oder Weltanschauungen zum Ausdruck gebracht, die im Gegensatz zum Faschismus standen. Ihre Bücher wurden deshalb in Deutschland verboten und viele von ihnen wurden öffentlich verbrannt. Jüdische Schriftsteller, von denen einige von höchstem Rang waren, wurden ebenfalls verboten. Für einen in

Deutschland lebenden Schriftsteller war es schwierig, seinen Lebensunterhalt zu verdienen, wenn er nicht bereit war, sein Talent für die Verbreitung der Nazi-Ideologie einzusetzen. Wenn Sie also Deutsch sprechen und deutsche Bücher lesen wollen, werden Sie nur wenige finden, die nicht von Hitler-Propaganda besudelt sind, es sei denn, sie wären von Anti-Nazi-Flüchtlingen geschrieben und im Ausland publiziert worden.

Aus den gleichen Gründen sind moderne Maler und unabhängig denkende Wissenschaftler zum Schweigen gebracht oder gezwungen worden, aus dem großen intellektuellen Gefängnis Hitler-Deutschlands zu fliehen.

Deutschland wird lange brauchen, bis es wieder an das hohe Niveau anknüpfen kann, das es unter der liberalen Republik, die Hitler vorausging, in geistigen Dingen erreicht hatte.

Allgemeines. Im Straßenverkehr gilt die Regel: **Rechts** halten – **nicht links** wie in Großbritannien.

In Deutschland hat jede Stadt und jedes Dorf einen Bürgermeister. Wenn es sich um eine Stadt mit mehr als 20.000 Einwohnern handelt, wird er wahrscheinlich als Oberbürgermeister bezeichnet. Aber wie auch immer sein Titel lauten mag, ihm obliegen wichtige Verwaltungsaufgaben, und er ist ein bedeutenderer Repräsentant als seine englischen Gegenstücke.

Wenn Sie deutschen Zivilisten Befehle erteilen müssen, äußern Sie diese in strengem, militärischem Ton. Der deutsche Zivilist ist daran gewöhnt und erwartet nichts anderes.

In Deutschland herrscht große Knappheit an Kleidung und Schuhen. Hüten Sie sich vor Diebstahl, Bettelei oder dem Angebot, Ihre Stiefel, Hemden und Unterwäsche zu kaufen. Ihnen muss nicht extra gesagt werden, dass der Verkauf oder das Verschenken von Regierungseigentum ein schweres Vergehen darstellt.

Sollten Sie in einem deutschen Haushalt einquartiert werden – was allerdings nur sehr selten der Fall sein wird –, seien Sie höflich, aber distanziert, vermeiden Sie lose Reden und legeres Verhalten und halten Sie Augen und Ohren offen.

Wegen ihrer eingefleischten Hochachtung für alles Militärische wird den Deutschen jede Nachlässigkeit in Garderobe oder Haltung britischer Truppen sofort auffallen. Blamieren Sie nicht Ihr Land oder Ihre Einheit.

Es ist nur natürlich, dass Deutsche, die persönlich unter der Nazi-Unterdrückung gelitten haben, versuchen werden, sich an ihren lokalen Tyrannen zu rächen. Sie werden das als deren eigene Angelegenheit verstehen und sich jeder Einmischung enthalten. Suchen Sie keinen Streit.

Die Nazis hatten viel Erfahrung darin, Vorfälle

zu provozieren, um Ärger zu machen oder die öffentliche Meinung zu beeinflussen. Die Hundertprozentigen (zumeist junge Kreaturen der Hitlerjugend) werden vielleicht versuchen, ähnliche Tricks anzuwenden, auch wenn ihr Land besetzt ist. **Wenn der Vorfall unbedeutend ist, bewahren Sie die Ruhe und lassen Sie sich nicht beeindrucken oder aus der Fassung bringen. Wenn er bedeutend ist, kümmern sich die alliierten Behörden darum.**

Sobald der Druck des Hitlerismus beseitigt ist, werden politische Parteien wieder aktiv werden. Auch wenn sie Namen haben, die unseren Parteien ähnlich sind, haben sie doch ganz andere Probleme und unterschiedliche Ziele. **Halten Sie sich von allem fern, was mit deutscher Politik zu tun hat.**

– GELD –

Die kleinste deutsche Münze ist der Pfennig. 100 Pfennig ergeben eine Mark oder, formeller ausgedrückt, „Reichsmark".

Wenn Sie nach Deutschland kommen, erhalten Sie offizielle Informationen, wie viel Mark dem britischen Pfund entspricht.

Deutsche Münzen, die gegenwärtig in Umlauf sind:

1-, 5- und 10-Pfennig-Stücke aus Zink, 5- und 10-Pfennig-Stücke aus einer Aluminium-Bronze-Legierung, ein 50-Pfennig-Stück aus Aluminium und 2- und 5-Mark-Stücke aus einer Silber-Kupfer-Legierung.

Neben diesen Münzen werden Sie es mit folgenden Banknoten zu tun bekommen: 1-, 2- und 5-Mark-Scheine, ausgegeben von der Rentenbank, und 10-, 20-, 50-, 100- und 1000-Mark-Scheine, ausgegeben von der Reichsbank.

Wo auch immer in Deutschland Sie stationiert sind, werden Sie sofort merken, dass es praktisch nichts zu kaufen gibt. Essen, Kleidung und Tabak werden streng rationiert sein; es wird keine Kleinigkeiten geben, die Sie als Geschenke nach Hause schicken können; die Läden werden leer sein. Ihre Bedürfnisse werden durch die Marine-, Armee- und R.A.F.-Ausgabestellen und die NAAFI-Läden[4] abgedeckt. Das Einzige, was Sie von Deutschen kaufen können, dürfte ein Glas Bier oder Wein sein.

Es wird lange dauern, bis die Grundbedürfnisse der deutschen Bevölkerung befriedigt und Waren, die nicht lebensnotwendig sind, wieder produziert werden können.

Derzeit können Sie wenig mehr mit Ihrem Sold anfangen, als ihn zu sparen. Sie sollten deshalb immer nur ein Minimum abheben.

---

4 Anmerkung des Übersetzers: NAAFI = Navy, Army and Air Force Institutes, eine Organisation, die britische Streitkräfte und ihre Angehörigen mit Waren des täglichen Bedarfs versorgt.

– WIE MAN SICH VERSTÄNDIGT –

Englisch wird in Deutschland an allen höheren Schulen unterrichtet und ist an den meisten ein Pflichtfach. Es wird auch an vielen Handels- und Sprachschulen des ganzen Lands unterrichtet, sodass viele Deutsche zumindest ein paar Brocken Englisch können. In jedem Hotel oder größeren Restaurant, Regierungs- oder Verwaltungsbüro oder großen Geschäft wird sich mit einiger Sicherheit jemand finden, der Englisch spricht.

Aber in der tiefen Provinz oder in Arbeiterwohngebieten müssen Sie vielleicht Deutsch sprechen, wenn Sie mit Zeichensprache nicht mehr weiterkommen.

Viele deutsche Wörter ähneln dem Englischen, besonders solche des allgemeinen Gebrauchs. Zum Beispiel: Mann = man, Haus = house, Garten = garden, Butter = butter und Brot = bread. Das liegt daran, dass die beiden Sprachen wesentlich aus der gleichen Wurzel entstanden sind.

Eine Liste mit Wörtern und Redewendungen findet sich am Ende dieses Buchs, und es werden auch Hinweise zur Aussprache gegeben.

Abgesehen von zwei oder drei deutschen Lauten, die wir im Englischen nicht benutzen, ist die Aussprache einfach.

Wenn man eine Sprache zu sprechen versucht, die

man nicht kennt, lautet die goldene Regel: So einfach wie möglich. Nehmen Sie sich ein zweijähriges Kind zum Vorbild. Versuchen Sie nicht, ganze Sätze zu bilden, sondern benutzen Sie Hauptwörter und Verben.

Versuchen Sie anfangs nur solche Fragen zu stellen, die mit Ja oder Nein beantwortet werden können. Sprechen Sie in normalem Tonfall; durch Gebrüll machen Sie Ihr Anliegen nicht klarer.

Wenn man Sie nicht versteht, zeigen Sie auf das Wort oder den Satz im Glossar.

– WAS MAN TUN SOLL –

Immer daran denken, dass man ein Repräsentant des Britischen Commonwealth ist.

Augen und Ohren offen halten.

Sich korrekt und soldatisch kleiden und benehmen.

Lockere Reden und lasche Haltung vermeiden.

Im Umgang mit Deutschen immer streng, aber fair sein.

Die Deutschen auf Distanz halten, selbst diejenigen, mit denen man offiziell zu tun hat.

Sich von allen Diskussionen zwischen deutschen politischen Parteien fernhalten.

Seien Sie vorsichtig mit Schnaps.

Daran denken, dass in Deutschland „jede vierte Person im Alter zwischen 15 und 41 Jahren mit Geschlechtskrankheiten infiziert ist".

– WAS MAN LASSEN SOLL –

Keine Kleidung oder Ausrüstung verkaufen.

Nicht sentimental werden. Wenn die Zeiten für die Deutschen hart sind, sind sie selbst dafür verantwortlich. Den unschuldigen Menschen der Länder, die sie besetzt hatten, haben sie es noch viel schwerer gemacht.

Deutschen Berichten über den Krieg oder die Ereignisse, die zum Krieg führten, keinen Glauben schenken. Die deutschen Vorstellungen zu diesem Thema stammen aus Lügenpropaganda.

Nicht auf Geschichten politischer Schicksalsschläge hereinfallen.

Geschichten über unsere Alliierten oder die Auslandsgebiete keinen Glauben schenken. Sie sollen lediglich böses Blut zwischen uns stiften.

Sich nicht von oberflächlichen Ähnlichkeiten zwischen Deutschen und uns beeindrucken lassen.

Keinen Streit vom Zaun brechen.

– SICHERHEITSHINWEIS –

Wenn es in dem Teil Deutschlands, in dem Sie sich befinden, keine offenen Kampfhandlungen mehr gibt, könnten Sie auf die Idee kommen, dass es keinen besonderen Anlass mehr für Sicherheitsmaßnahmen gibt.

Das ist nicht der Fall. Deutsche müssen noch so lange als gefährliche Feinde betrachtet werden, bis eine endgültige Friedensvereinbarung verabschiedet und die Besetzung Deutschlands beendet sein wird.

Sicherheit ist deswegen so wichtig wie eh und je. In der Schlacht können Sicherheitslücken Menschenleben kosten. Unter den Bedingungen hinter den Linien ist die Gefahr nicht so akut. Sicherheitslücken helfen jedoch denjenigen Deutschen, die im Untergrund gegen uns arbeiten, und, man darf sich nicht täuschen lassen: Es werden noch sehr viele sein.

Sie haben in diesem Buch alles über den Charakter der Deutschen gelesen und wissen nun, was Sie von ihnen zu erwarten haben, insbesondere von den nazistischen Elementen. Ihre Aufmerksamkeit sollte sich deshalb fest und unablässig auf folgende Punkte richten, die unter Sicherheitsaspekten weiterhin höchste Priorität beanspruchen:

1. Versuche seitens der Propaganda oder durch Agenten Sympathie für das deutsche Volk zu wecken und Sie davon zu überzeugen, dass die Deutschen ein schweres Los drückt.
2. Versuche seitens der Propaganda oder durch Agenten zwischen uns und unseren Alliierten Spannungen zu erzeugen und insbesondere anti-russische Gefühle zu schüren.
3. Sabotageversuche und Versuche, den alliierten Streitkräften in Deutschland zu schaden.
4. Versuche, Informationen über die Bewegungen, Aufstellungen und Aktivitäten unserer Streitkräfte und weitere Informationen militärischer Natur wie etwa Vorabinformationen über geplante Operationen, Suchkommandos, Razzien und ähnliche Vorhaben zu erlangen.

Um derlei zu bekämpfen, sollten Sie ständig das Folgende beherzigen:

Seien Sie vorsichtig, was Sie sagen – nicht nur direkt zu Zivilisten, sondern auch in deren Hörweite. Viel mehr Deutsche als Sie glauben, verstehen und sprechen Englisch.

Vorsicht auch beim Telefonieren. Denken Sie daran, dass eine Telefonleitung nie privat ist.

Denken Sie daran, dass Propaganda in vielen Formen auftritt – manchmal plump und durchschaubar, aber oft auch subtil und schwer zu erkennen.

Seien Sie misstrauisch, wenn Ihnen attraktive Frauen Geschichten erzählen. Sie handeln womöglich auf Befehl.

Gehen Sie besonders vorsichtig mit Dokumenten um und lassen Sie keine Briefe und private Tagebücher herumliegen. Auch wenn sie harmlos zu sein scheinen, können sie für den Feind wertvolle Informationen enthalten.

Melden Sie jedes verdächtige Subjekt *unverzüglich* dem Sicherheitsoffizier Ihrer Einheit oder einem Feld-Sicherheitsoffizier.

Wenn Sie Ausweispapiere kontrollieren müssen, überzeugen Sie sich ganz genau davon, dass die betreffende Person ist, wer und was sie zu sein behauptet. Und schließlich: Lassen Sie Waffen und Munition niemals unbeaufsichtigt. Denken Sie an den Saboteur und den Mörder.

Das Leben in Deutschland wird ständig Ihre Wachsamkeit, Alarmbereitschaft und Ihr Selbstbewusstsein erfordern. Jeder Einzelne von Ihnen hat eine Aufgabe zu erledigen. Wie belastend diese auch immer sein mag, bemühen Sie sich, sie mit gutem Willen und Entschlossenheit auszuführen. Je gründlicher wir jetzt sind, desto eher vermeiden wir zukünftigen Ärger.

INSTRUCTIONS

FOR

BRITISH
SERVICEMEN

IN

GERMANY

1944

INSTRUCTIONS

FOR

BRITISH
SERVICEMEN

IN

GERMANY

1944

CONTENTS

EDITOR'S NOTE

The 'Words and Phrases' section is printed in abridged form.

PREFACE

Nine and a half months after D-Day, thirty thousand British troops crossed the Rhine as part of the Allied assault on Germany. As early as May 1943 suggestions had been made that the troops should be issued with some kind of written guidance as to how they should counter the views of Germans they might come into contact with as part of an army of occupation, and, after considerable discussion, this pamphlet was the result.

Like the earlier *Instructions to British Servicemen in France* (also republished by the Bodleian Library) the aim was to educate the soldiers on a range of topics, including German history, the national character, politics, culture, food, drink, currency and language, as well as to explain the current situation, including the effect of the war on Germany and German attitudes to the British. There was, however, one crucial difference. Whereas the underlying aim of the earlier booklet had been to bring together two allies who, although they had not always had the easiest of relationships during the war, had many common objectives and values, the principal aim this time was to condition the troops against the effects of German propaganda, and to restrict the contacts between the occupiers and the occupied to the minimum.

Those who drew it up were painfully aware that an earlier British army of occupation in Germany after the First World War had failed to destroy what they perceived as the overwhelm-

ing tendencies in German history towards militarism and conquest. They were also aware of the hold Nazi propaganda had over the German population, and were determined that the British troops should know how to counter it. This led them to three principal conclusions: that all Germans, whether members of the Nazi Party or not, should be held responsible for the war, that the Germans had 'much to unlearn', and that there should be no fraternisation between the occupiers and the occupied. As the booklet states, their view was that 'There will be no brutality about a British occupation, but neither will there be softness or sentimentality'. This line was echoed by Field Marshal Montgomery in his message to the troops, where he said: 'The defeated enemy must be made to put his house in order … Also he must be made to pay for the war which was of his making … We shall try to be wise as conquerors. As we were strong in battle, so we shall be just in peace.' It is thus apparent from the start that the tone of this booklet is markedly different from the earlier ones published in this series. Those were produced to introduce Allied soldiers to friendly countries, and although they were serious in intent, they were also quite light-hearted in tone. There is little that was intended to be light-hearted in the text presented here.

The general tone of the booklet is stated at its most stark in the Security Note at the end: 'Germans must still be regarded as dangerous enemies until the final Peace Settlement has been concluded and after the occupation of Germany has ended'. Much of

the text was therefore devoted to warning soldiers against feeling sorry for the Germans. This theme appears in the very first paragraph of the foreword:

> You will see much suffering in Germany and much to awake your pity. You may also find that many Germans, on the surface at least, seem pleasant enough and that they will even try to welcome you as friends.

> All this may make you think they have learned their lesson and need no further teaching. But remember this … [t]he Germans have much to unlearn.

> They also have much to atone for.

The booklet then goes on the state that 'The German people as a whole cannot escape a large share of responsibility', and that even the plot against Hitler was not a revolt against 'the barbarity of Hitler's methods, but merely their lack of success'. Fraternisation between the British troops and German civilians was at first forbidden by the Allied High Command, although, as the booklet says, 'there will probably be occasions when you will have to deal with them, and for that reason it is necessary to know something about what sort of people they are'. Later the rules were relaxed somewhat, at first permitting conversations in the street, but later allowing a much greater degree of social contact, although even then the troops were officially forbidden to marry German women.

It is interesting to compare this booklet with a training film called *Your Job in Germany*, which was issued at around the same

time. It was made by the U.S. Army but was also shown to British and other Allied troops about to enter Germany. If anything it takes an even harder line towards the German population, whether they were civilians or not. There is, for example, a similar emphasis on German history. At one point the commentary says: 'You'll see some mighty pretty scenery. Don't let it fool you. You are in enemy country. Be alert, suspicious of everyone. Take no chances. You are up against more than tourist scenery. You are up against German history. It isn't good.'

The film refers to German aggression in 1870, 1914 and 1939, and then states: 'The German lust for conquest is not dead. It's merely gone under cover ... It can happen again. That is why you occupy Germany, to make that next war impossible'. And the troops were again warned against fraternisation, the film telling them that 'Fraternisation means making friends. The German people are not our friends. You will not associate with German men, women or children.' For a time around December 1944 Allied soldiers could even be fined the not inconsiderable sum of £16 for fraternising with the enemy.

Over sixty years later, and after a long period of peace in Europe during which Germany and Britain have been allies and partners in NATO and the European Union, these exhortations read decidedly oddly, and one might think that there was far more to be gained in the long run by encouraging fraternisation between the troops and the German civilian population, than by warning against

it. And there is, in fact, some evidence that many of Britain's civilian and military leaders were unhappy with it at the time. Churchill's famous epigraph at the end of his *History of the Second World War* – 'In war, resolution; in defeat, defiance; in victory, magnanimity; in peace, good will' – suggests that he had a broader and more humane vision of the future than the writers of the *Instructions*; and Field Marshal Montgomery, despite the firm line in his message to the troops in September 1945, later wrote in his memoirs that 'if ever we were to re-educate the German population it would be a good thing to mix freely with them and teach them our standards of freedom and individual responsibility'.

As for the views of the rank-and-file British soldiers, these were neatly expressed in a cartoon by Giles in the *Daily Express*, published on 22 July 1945. This shows a crowd of German women pursuing two British soldiers through a wood, whilst two other girls hold a trip wire across the path in front of them. The caption reads 'Rough on us chaps that don't want to fraternise, isn't it?'.

The troops were also able to express their views of Germany and the Germans through the letters columns of the *British Zone Review*, a fortnightly newspaper produced by the Information Services Division of the Control Commission for Germany between 1945 and 1949. As early as the second issue, there was a letter expressing pity for at least some of the population. Lucia Lawson, a subaltern in the A.T.S., wrote:

It is hard to believe when we have just come through six years of a war which was not of our making that anyone can feel sorry for the people who caused it, but I challenge any average man or woman to spend one week in Berlin and not feel some small measure of pity for some Berliners.

This letter generated quite a lot of correspondence in the *British Zone Review*, as well as an editorial which stated unequivocaly that 'first and foremost we must be firm'. The troops themselves expressed a wide variety of opinions. It has to be said that the clear majority were in favour of the official line. Sergeant R.J. Dolamore, for example, wrote that:

We all want to avoid another war in the future and to do this the only way is to teach the Germans that war does not pay. We shall never do this by feeling sorry for them. Let them suffer all the hardships possible for the next 10 years, and probably by that time the lesson will have entered their thick heads.

This line was fairly common. Sergeant J.P. Noonan, on the other hand, thought that a more liberal approach would be more productive:

We have called ourselves the Army of Liberation, the Crusaders of Truth, Justice and Liberty. If we are democrats and liberators of the oppressed, entrusted with the mission of enlightening and teaching the principles of truth, justice and liberty, then in the name of logic and commonsense, why not practice what we preach? Humanity and justice cannot be based upon hatred and revenge. Our mission is to show the Germans that they

failed because they ignored all principles of humanity. We must punish the criminals responsible and teach the others by example that we have something better to offer.

A similar view was put forward by someone who signed himself 'D.G., Hannover':

I would suggest three rules ... First, that merely because the Germans have been wicked, we are not justified in a similar retributive offence. It is nearly two thousand years since a better formula than an eye for an eye was suggested. Our standards must be our own, and be kinder than those of the National Socialists, or I do not know for what positive aim we fought.

The second rule is that one should be kind where one is. These wise men who say never be kind to Germans, reserve your sympathy for the French, Yugoslavs or Greeks, speak a half-truth. Of course one is sympathetic towards such innocent victims of German aggression ... But ... sooner than see kindness in the wrong place, some people would see no kindness at all.

The last rule which occurs to one is that one should remember that Western Europe is a cultural entity ... Germany is ... a major contributor to the civilization of Western Europe, and one whose destruction will impoverish us all.

And a Dutch interpreter added this thought: 'Surely it would be better to concentrate on telling the people what is right ... Forget the past, abolish recriminations, remember that the Germans are thinkers, that they too have brains and pride.'

In the long run, it was this more generous view that was to prevail, helped to a considerable degree by the onset of the Cold War, which led to a major shift in the official view, from treating Germany as a defeated enemy to building her up as a potential ally against the new Soviet threat. Gradually a blind eye was turned to people's Nazi pasts, and the official policy on all sides became what Konrad Adenauer called in his first address to the parliament of the newly constituted Federal Republic of Germany on 20 September 1949, the determination 'to put the past behind us'. This 'collective amnesia', it has been argued, undoubtedly benefited Europe during the post-war period.[1]

Dating from the pre-Cold War period, this pamphlet retains its interest as a snapshot of the official view at a time when Germany rather than the Soviet Union was seen as the greatest threat to future peace in Europe. However, it also reflects much more widely held views of German history and culture and the character of the German people, which, in Britain, can be dated back to the last quarter of the nineteenth century, following German unification after the Franco-Prussian war of 1870–71. In turn unintentionally humorous and crudely stereotypical, it thus reveals as much about British wartime attitudes and prejudices as it does of the devastated Germany the Allied soldiers were about to encounter for the first time.

John Pinfold
Bodleian Library

1 T. Judt, *Postwar: A History of Europe Since 1945* (London, 2005), pp. 61–2.

INSTRUCTIONS

FOR

BRITISH SERVICEMEN

IN

GERMANY

Prepared by
The Political Warfare Executive

Issued by
The Foreign Office,
London

1944

This book has nothing to do with military operations.

It deals only with civilian life in Germany and with the way you should behave to the German civilian population.

This book is published in November, 1944, at a time when our Armies have barely entered Germany and Hitler and the Nazi regime have not yet been overthrown. Many important events may happen between now and the time when you first read this book. Do not be surprised therefore if here and there sentences, true at the time they were written, have become out of date.

FOR the second time in under thirty years, British troops are entering upon the soil of Germany. The German Army, the most carefully constructed military machine which the world has known, has suffered catastrophic defeats in the field. The civilian population of Germany has seen the war brought into its homes in a terrible form. You will see much suffering in Germany and much to awake your pity. You may also find that many Germans, on the surface at least, seem pleasant enough and that they will even try to welcome you as friends.

All this may make you think that they have learned their lesson and need no further teaching. But remember this: for the last hundred years – long before Hitler – German writers of great authority have been steadily teaching the necessity for war and glorifying it for its own sake. The Germans have much to unlearn.

They have also much to atone for. Never has murder been organised on so vast a scale as by the German Government and the German Army in this war. Death by shooting, hanging, burning, torture or starvation has been visited

3

on hundreds of thousands of civilians in the countries of Eastern Europe occupied by the Germans, and on thousands in the occupied countries of Western Europe.

The record of these outrages is not just "atrocity propaganda". It is based in most cases on the evidence of eye-witnesses or on statements made by the criminals themselves. Moreover, the writings and speeches of the German leaders show that such outrages formed part of a deliberate policy.

The German people as a whole cannot escape a large share of responsibility. The main instruments of German policy were certainly Hitler's Black Guards and Secret Police, but ordinary German officers, N.C.O.'s and men acted often enough with the same brutality. Individual German soldiers and civilians may have deplored it, but no one was found to protest publicly and in good time against it. From the time Hitler came to power no serious resistance movement showed itself in Germany until the attempted putsch of the German generals on the 20th July, 1944. But the cause of that revolt was not the barbarity of Hitler's methods, but merely their lack of success.

4

The history of these last years must not be repeated. The purpose of the British Commonwealth and its Allies, and of the forces which represent them, is not vengeance against the Germans. It is to make sure that they will never again have the chance to submerge Europe and the world in blood. Remember for as long as you are in Germany that you would not be there at all if German crimes had not made this war inevitable, and that it is only by the sacrifice of thousands upon thousands of your fellow countrymen and Allies, and at a cost of untold suffering at home and abroad through five long years, that British troops are at last on German soil. Think first of all this when you are tempted to sympathise with those who today are reaping the fruits of their policy, both in peace and war.

– TO BEGIN WITH –

YOU are going into Germany.

You are going there as part of the Forces of the United Nations which have already dealt shattering blows on many fronts to the German war-machine, the most ruthless the world has ever known.

You will find yourselves, perhaps for some time, among the people of an enemy country; a country that has done its utmost to destroy us – by bombing, by U-boat attacks, by military action whenever its armies could get to grips with ours, and by propaganda.

But most of the people you will see when you get to Germany will not be airmen or soldiers or U-boat crews, but ordinary civilians – men, women and children. Many of them will have suffered from overwork, underfeeding and the effects of air raids, and you may be tempted to feel sorry for them.

You have heard how the German armies behaved in the countries they occupied, most of them neutral countries, attacked without excuse or warning. You have heard how they carried off men and women to forced labour, how they looted, imprisoned, tortured and killed. **There will be no brutality about a British occupation, but neither will there be softness or sentimentality.**

You may see many pitiful sights. Hard-luck stories may somehow reach you. Some of them may be true, at least in part, but most will be hypocritical attempts to win sympathy. For, taken as a whole, the German is brutal when he is winning, and is sorry for himself and whines for sympathy when he is beaten.

So be on your guard against "propaganda" in the form of hard-luck stories. Be fair and just, but don't be soft.

You must also remember that most Germans have heard only the German side of the war and of the events that led up to it. They were forbidden to listen to any news except that put out by their own Propaganda Ministry, and were savagely punished if they disobeyed. So most of them have a completely false impression of what has happened, and will put about – perhaps in good faith – stories that are quite untrue.

The impression you have gained of world events is much nearer the truth than the distorted conceptions spread by the German Propaganda Ministry. So don't let yourself be taken in by plausible statements.

Of course there are Germans who have been against the Nazis all along, though few of those who tried to do anything about it have survived to tell the tale. Even those Germans who have been more or less anti-Nazi will have their axe to grind. But there is no need for

you to bother about German attempts to justify themselves. All that matters at present is that you are about to meet a **strange people in a strange, enemy country.**

Your Supreme Commander has issued an order forbidding fraternisation with Germans, but there will probably be occasions when you will have to deal with them, and for that reason it is necessary to know something about what sort of people they are.

– THE GERMAN LAND –

GERMANY is a big country.

In area it is twice as big, and in population about one and a half times as big, as England, Scotland, Wales and Northern Ireland together.

As the map on pages 64 and 65 shows you, Germany is landlocked except for the tideless Baltic in the north and a short coastline on the North Sea. In the east and west its frontiers are not defined by great mountains and rivers, which is one reason perhaps why the Germans are always trying to push them further out.

Its greatest rivers, the Rhine, Elbe, Oder and Danube, are not purely German, since they flow through other countries before reaching the sea.

The climate in North-Western Germany is rather like that in Britain, but as you go south or east you will find it hotter in summer and colder in winter than it is at home. There is more rain in Western Germany than in the east, but everywhere you will get more fine, hot days in summer and more crisp, bright cold in winter.

Germany has a great variety of scenery. In the north is a great plain, bare except for occasional pine forests and studded with lakes; it is a continuation of the plains of Russia and Poland. In Central Germany the hilly uplands are thickly forested. The valley of the Rhine with

its sudden hills, its vineyards and old castles, is well known to English tourists, and further south you come through the foothills to the German Alps.

Industry. Germany is highly industrial. The German "Black Country" is in the west on the Rhine and Ruhr, where what is left of the towns of Cologne, Dortmund, Düsseldorf, Duisburg, Essen, Bochum and many others familiar from our Air Ministry reports, form one great continuous industrial area. Other great centres of manufacture are in Thuringia and Saxony (Central Germany) and in the eastern province of Silesia.

The north-western port of Hamburg, which is about half as big again as Glasgow is probably the most "English" of German towns. It has always had close commercial ties with this country.

Seventy years ago, Berlin, the capital, was about the size of Manchester. Now, with a population of nearly four and a half millions, it is over one-third as big as Greater London. It is the seat of government of the German "Reich" and is practically surrounded by a broad belt of industrial plants.

The German transport system was one of the best in Europe. Apart from its excellent railways, much use was made of the great natural waterways, like the Rhine, which were connected by a system of canals.

One of Hitler's positive achievements was to build hundreds of miles of first-class motor-roads, though his object in doing so was largely military. These are called Autobahnen (car-ways).

– THE GERMAN STORY –

THE most interesting fact about German history is that **Germany did not exist as a nation until 1871**. Before then it consisted of a number of states each with its own court, its own laws and customs barriers. Much the largest of these states was Prussia.

The credit (if one can use the word) for uniting these various kingdoms and grand duchies belongs to a Prussian statesman, **Bismarck**.

Between 1864 and 1871 he engineered three aggressive but successful wars against Denmark, Austria and France, and these victories so impressed the other German States that they entered a confederation under Prussian leadership. This confederation was called the German Reich, and the King of Prussia became German Kaiser (Emperor).

The vices of militarism and aggressiveness, often thought to be peculiar to the Prussians, soon infected the whole of Germany. The Germans acquired colonies, chiefly in Africa; they challenged British sea-power by building a powerful fleet. And in 1914 they thought they were strong enough to enforce an unchallenged supremacy in Europe. In alliance with Austria-Hungary, Turkey and Bulgaria they fought and lost the First World War.

After the defeat of 1918 Germany went through a sort of revolution. This revolution was largely lath and plaster, but was accepted by the Germans because they are used to political shams. Some of the politicians of the German Republic, who succeeded the Kaiser in 1918, meant well: they established a parliamentary system which gave to the ordinary German more individual freedom from then to 1933 than before or since. But behind the scenes the real power still remained in the hands of the generals, the great industrialists and landowners and the professional civil servants. They waited and watched for a chance to assert themselves.

The chance came with the rise of Adolf Hitler.

Rise of Hitler. This ex-corporal of the First Great War was not even a German, but an Austrian who had fought in a German regiment. At first he was considered rather a joke, but his party, the National Socialist German Workers' Party (Nazi for short), gained millions of supporters during the great slump of 1930–32. He promised the workers a form of socialism; he promised the industrialists more power and bigger profits; he promised both that he would wipe out the Versailles Treaty and create a single "Great German" State. The Nationalist Party (Junkers – that is, feudal landowners – generals and industrialists) believed they could use the Nazis to restore their

old privileges. So they persuaded the President, Field Marshal von Hindenburg, to make Hitler Chancellor of the Reich. This was in January, 1933.

To secure his election in March, Hitler engineered the Reichstag fire and by attributing it to the Communists made it the excuse for a reign of terror. But the elections in March did not give Hitler's party a clear majority, in spite of the flood of propaganda let loose in his favour from platform, press and radio; the Nationalists, however, supported him, and to make doubly sure he arrested various members of opposition parties who might have voted against him.

His next act was to pass a bill which ended parliamentary government and made him Dictator of Germany.

Then he began to "discipline" the country. Law was suspended. Jews, Communists, Socialists, Liberals – anyone who had publicly opposed him – were hunted down by Hitler's private army, the Storm Troops, shot, beaten to death or systematically tortured in concentration camps. **Hitler's aim was so to terrorise the German people that no one would dare to resist him by deed or word.**

In spite of these bestial cruelties some Germans were brave enough to carry on the struggle against Hitler, but their power was small and most were killed, beaten into acquiescence, or forced to leave the country.

Meanwhile the army was rapidly growing; in 1935 conscription was reintroduced; the industrialists began to make great profits out of re-armament; the Junkers had their privileges confirmed, and the Nazis enriched themselves by plunder and confiscation.

Political Smash and Grab. When Hitler had established his power in Germany he began to carry out his plan for conquering other nations. **It was a plan which appealed to the Germans.** In March, 1938, German troops occupied Austria. In September, 1938, at Munich, the British and French Prime Ministers, who knew their countries were quite unprepared for war, reluctantly agreed to the Nazi annexation of important border areas of Czechoslovakia, where many of the people were of German speech. In March, 1939, the rest of Czechoslovakia was occupied – a flagrant breach of Hitler's promise to Mr. Chamberlain only six months before.

It was now obvious to everyone that Hitler's dreams of conquest knew no bounds. His next victim was to be Poland. Prussia had held parts of Poland for a hundred and fifty years until, in 1918, the Poles at last won back their freedom. Now Hitler resolved to enslave them again. The British and French Governments solemnly warned him that an attack on Poland would bring both countries into the war.

Hitler, drunk with easy successes, did not believe that we would fight. He thought we were too "decadent." On 1st September, 1939, he seized the Free City of Danzig, his armies entered Poland and the Second World War had begun.

– WHAT THE NAZIS HAVE
DONE TO GERMANY –

WHEN Germany is defeated, Hitler and his gang of Nazi leaders will be swept away but it will not be possible to make a clean sweep of the millions of Germans who have at some time worn the Nazi badge. The system will leave a deep mark on German life, and if you are to understand the Germans you must know something of how it worked.

Germany under the Nazis is a "totalitarian state." Hitler is the Dictator, or "Führer" (Leader). He not only doubles the parts of president and chancellor; he is supreme law-giver, supreme judge, head of the civil service, commander-in-chief of the armed forces and leader of the Nazi Party. The Cabinet is there merely to advise him; the parliament (Reichstag) is there merely to hear his decisions and applaud. His position is more despotic than that of King John in England, before Magna Carta limited his powers more than 700 years ago.

At the head of each of the 15 States into which Germany is divided is one of Hitler's yes-men. These state governors (Reichs-Statthalter) appoint the provincial officials; they, on their part, appoint their subordinates and so on down to the smallest employee. No one can be a state or municipal servant in Nazi Germany unless

Hitler and Hitler's yes-men are convinced of his loyalty to themselves.

But that is only half the story.

The Nazi Party. Side by side and interlocking with the Nazi Government is the Nazi Party. The Party has its own network of officials from the Gauleiter, who controls one of the 42 gaus into which Germany is divided for purposes of Party organisation, down to the Blockwart with the modest job of ruling a block of flats.

Although the same man is often both a government official and a Party official, the functions of the government and the Party are theoretically distinct.

The Party's main concern is to keep the people's faith and enthusiasm for Hitler at boiling point and to turn on the heat for any who are still luke-warm. The function of the government is to carry out Hitler's decrees in practice and run the country on the lines he has laid down.

The national army is, of course, in the service of the government, but the Party has a private army for its own purposes. This Party-army is called the **S.A. (Sturm-Abteilungen = Storm Troops).** But in 1934 there was friction between the S.A. and the regular army and Hitler, who wanted to win the regular ar-

my's support, massacred many of the leading S.A. men (including their commander, Captain Röhm).

Hitler's body-guard, **the S.S. (Schutz-Staffel = Black Guards),** a more carefully selected and better drilled body of thugs, then took the place of the S.A. as Hitler's personal armed force on the home front.

The notorious **Gestapo (Geheime Staats-Polizei = Secret State Police)**, which is responsible for hunting down opponents and killing them or breaking their spirit in concentration camps, is also one of the pillars of Hitler's strength.

All other political parties, and also trade unions, co-operative societies, even boy scout troops and religious organisations for children and young people, were abolished or taken over by the Nazi Party so that no German, man, woman or child, could escape their influence.

When you reach Germany, this evil system will be swept away, but the German people will find it hard to get rid of much of the Nazi creed.

"Mein Kampf." Hitler's crude and violent beliefs, few of them original in German thought, are laid down in his book, *Mein Kampf* (My Struggle), which all Germans are supposed to have read.

According to Hitler the State is something above the

people. The individual must give up his rights, his liberties, his beliefs, even his religion, for what is held to be the good of the State. But Hitler claims that the Germans are a very special people; they are not only Aryans (by which he apparently meant natives of Northern Europe); they are also the Master Race, and their destiny is to rule and lead all other nations.

The natural enemies of the Master Race are Non-Aryans (Jews), Bolsheviks and Plutocrats. By "Plutocrats" the Nazis generally mean ourselves and the Americans.

Since it is obviously impossible for a Master Race to have been beaten in battle, the Nazis teach that the German armies were not defeated in 1918; Germany would have won, they say, if the Jews, Bolsheviks and other "traitors" inside the country had not "stabbed her in the back."

The Christian virtues of kindness and justice are thought to be unworthy of the Master Race, and the Nazis have tried to uproot them. This involved Hitler in a conflict with the churches. He not only tried to suppress the Protestants and Catholics, but also encouraged the Nazis to invent semi-pagan religions of their own.

It seems strange that such wild ideas could impose on a European nation in the 20th century, but **woven into Hitler's doctrine are many deep-seated**

German "complexes," such as hatred of the Jews, a desire to domineer over others and a readiness to believe that they themselves are being persecuted.

Who, you may ask, are these Nazis, who go in for such perverted ideas and cruel practices?

In the early days, there were some misled idealists among them, but the leaders are wicked and ambitious men, who have used their power to enrich themselves by plundering first their fellow Germans and then other nations. In this way they have become fabulously wealthy. They stand outside and above German law; they have been answerable for their crimes to no one but Hitler, and he encouraged them.

– WHAT THE WAR HAS DONE
TO GERMANY –

THE Germany you will see is a very different place from the peace-time Germany.

If you come in from the west you will enter the most-bombed area in Europe. Here the destruction is many times greater than anything you have seen in London, Coventry or Bristol. Compare these figures: in eleven months (September, 1940, to July, 1941) the Germans dropped 7,500 tons of bombs on London – we dropped nearly 10,000 tons on Duisburg in two attacks between Saturday morning and Sunday morning, the 14th to 15th October, 1944. In western towns from Hamburg south through the industrial Ruhr and Rhineland – with Essen, Düsseldorf, Duisburg and many other centers – and east to Nuremberg and Munich, you will see areas that consist largely of heaps of rubble and roofless, windowless shells. Cities like Berlin and Hanover in Central Germany will be no better off.

In all these places communal life has been broken up. Mass evacuations have been carried out, not only of children, but of the grown-up population. Only those remained who were needed to staff such factories as could still operate, and to run the civil defence, salvage, police and other essential services. As fast as

'repairs were made, the R.A.F. blasted them and added to the earlier destruction.

Tens of thousands of Germans have been killed or injured in these raids, hundreds of thousands have lost their belongings and could not replace them because of the shortage of goods.

The Biter Bit. In Western and Central Germany you will find a war area of bleak poverty and devastation. The Germans have been well and truly paid for what they did to Warsaw, Rotterdam and Belgrade.

But the German people have had other things to bear. Probably more than three and a half million German soldiers have been killed in action and another million severely wounded.

The supply of food for German civilians was restricted even before war began so that they could have "guns instead of butter." During the war their rations have been a good deal lower than ours; they have had much less meat, bread and milk and the quality of the food was inferior.

Many of the people you will see in the towns may be under-nourished, though not starving like the people of Poland and Greece.

On top of all this the German workers who remained in industry; and the millions of women who

were drafted into the factories, have been worn out by long hours of hard work, which often followed sleepless nights in air-raid shelters. You must therefore expect to find a population that is hungry, exhausted and on the verge of despair.

You will probably find that public services and supplies are working very imperfectly, and it will be urgently necessary to get them going again. Apart from the partial breakdown due to bombing and defeat, the collapse of the Nazi Party will mean that a good deal of routine work is left undone, for in addition to their main task of regimenting their fellow-Germans, the local Nazi officials have done many useful jobs of organisation and relief.

To complete the picture, you are likely to find bands of **foreign workers** trying to make their way home, mostly men and women **who were carried off to Germany and forced to work there as slaves of the German war-machine.** By the end of the war there will be millions of these foreign workers – Russians, French, Poles, Czechs, Belgians, Italians and others – working in Germany. Prisoners of war, of whom Germany has several millions, will also have to be collected from camps, farms and factories and sent back to their homes.

– WHAT THE GERMANS ARE LIKE –

WHEN you meet the Germans you will probably think they are very much like us.

They look like us, except that there are fewer of the wiry type and more big, fleshy, fair-haired men and women, especially in the north.

But they are not really so much like us as they look.

The Germans have, of course, many good qualities. They are very hard working and thorough; they are obedient and have a great love of tidiness and order. They are keen on education of a formal sort, and are proud of their "culture" and their appreciation of music, art and literature.

But for centuries they have been trained to submit to authority – not because they thought their rulers wise and right, but because obedience was imposed on them by force.

The old Prussian army – and the Nazi army too – set out intentionally to break the spirit of recruits. They were made to do stupid and humiliating things in order to destroy their self respect and turn them into unquestioning fighting machines. This method produced a formidable military force, but it did not produce good human beings. It made the Germans cringe before authority.

That is one reason why they accepted Hitler. He ordered them about, and most of them liked it. It saved them the trouble of thinking. All they had to do was obey and leave the thinking to him.

It also saved them, they thought, from responsibility. The vile cruelties of the Gestapo and S. S. were nothing to do with them. They did not order them; they did not even want to know about them. The rape of Norway, Holland and Belgium was not their business. It was the business of Hitler and the General Staff.

That is the tale that will be told over and over again by the Germans. They will protest with deep sincerity that they are as innocent as a babe in arms.

But the German people cannot slide out of their responsibility quite so easily. You must remember that Hitler became Chancellor in a strictly legal way. Nearly half the German electors voted for him in the last (comparatively) free election of 1933. With the votes of his Nationalist allies he had a clear majority. The Germans knew what he stood for – it was in his book – and they approved it. Hitler was immensely popular with the majority of Germans: they regarded him as the restorer of German greatness. They welcomed the abolition of unemployment although they knew that it arose from conscription and rearmament. **After the fall of France most Germans supported his mil-**

itary conquests with enthusiasm. It was only when they felt the cold wind of defeat that they discovered their consciences.

The Mind of the German. The Germans adore military show. In Nazi Germany everyone has a uniform. If it isn't the uniform of the Army, Navy or Air Force, it is that of the S.A., S.S. or some other Party organisation. Even the little boys and girls have been strutting about in the uniform of the Hitler Youth or the Union of German Girls.

Such uniforms may still impress the Germans, but they will not impress you. But you must do justice to the position of the ordinary German policeman. He will have no authority over British troops, but you should do nothing to make more difficult any task he may be allotted by the Allies.

The uniforms you will respect are those of the British and Allied forces.

It is important that you should **be smart and soldierly** in appearance and behaviour. The Germans think nothing of a slovenly soldier.

You will run across Germans who are genuinely ashamed of being Germans. Even before Hitler made Germany universally hated, they had a sense of national inferiority. They felt that other nations, like the British,

Americans and French, were somehow ahead of them. There is little doubt that Hitler realised this, and used his theory of the Master Race to overcome it. He tried to make the Germans think well of themselves, and he overdid it. There will be some – especially the young ones – who have swallowed the tale that they are members of the Master Race, and are therefore our superiors.

There is no need to say much more about German brutality; it has been unmistakably revealed in the Nazi methods of governing and of waging war. But you may think it strange that the Germans are at the same time sentimental. They love melancholy songs; they easily get sorry for themselves; even childless old couples insist on having their Christmas tree. German soldiers would play with Polish or Russian children, and yet there are enough authentic reports of these same children being shot or burnt or starved to death.

This mixture of sentimentality and callousness does not show a well-balanced mind. The Germans are not good at controlling their feelings. They have a streak of hysteria. You will find that Germans may often fly into a passion if some little thing goes wrong.

How Hitler moulded them. Hitler set to work, for his own purposes, to cultivate these weaknesses and vices of the German character.

He wanted his Nazis to be still more brutal because he thought that in this way he could terrify the German nation, and other nations too, into submission. Tens of thousands of young men in the S. S. have been systematically trained as torturers and executioners. Some went mad in the process, but others reached a point where they can commit any atrocity with indifference or even with pleasure.

Ordinary members of the public have been taught to spy on each other. Little boys and girls in the Hitler Youth have been encouraged to denounce their parents and teachers if they let slip some incautious criticism of Hitler or his government. The result is that no one in Nazi Germany can trust his fellows, friendship and family affection have been undermined, and thousands of anti-Nazi Germans have been forced to pretend — even in their own homes — that they admire the men and principles which in their hearts they despise. Lying and hypocrisy became a necessity.

Hitler's own breaches of faith — especially in his dealings with other nations — were represented as skilful diplomacy. The Germans admired his success and came to admire his methods.

Worst of all, perhaps, it has been drummed into German children in the schools and Hitler Youth that might is right, war the nest form of human activity and

Christianity just slushy sentiment. By cramming children's minds with Nazi ideas and preventing any other ideas from reaching them, Hitler hoped to breed a race of robots after his own heart. We cannot yet judge to what extent this inhuman plan has succeeded.

So you will not be surprised if the German proves to be less like us than he appears at first sight.

This does not mean that all Germans are liars, hypocrites and brutes. Even Nazi methods of education have not been so successful as all that; but it does mean that the national character of the Germans has worsened a good deal under Nazi influence. **Be on your Guard.** When you deal with Germans you must be on your guard. **We were taken in by them after the last war:** many of us swallowed their story about the "cruel" Treaty of Versailles, although it was really far more lenient than the terms they themselves had imposed on Russia only a year before; many of us believed their talk about disarmament and the sincerity of their desire for peace. And so we let ourselves in for this war, which has been a good deal bigger than the last. **There are signs that the German leaders are already making plans for a Third World War. That must be prevented at all costs.**

When you get to Germany it is possible that some

civilians will welcome your arrival, and may even look on you as their liberators from Hitler's tyranny. These will be among the Germans who consistently opposed Hitler during his years of success. Not that they made speeches against him or committed sabotage: any who did that are unlikely to be alive to welcome you. But there are many who kept their own counsel and passively opposed Hitler all along.

As a rule they are loyal members of the political parties suppressed by Hitler, mostly workers, but often honest people of the middle classes. Or they are Catholics or Protestants, who have opposed Hitler because of his persecution of Christianity.

But many Germans will pretend they have been anti-Nazis simply because they want to be on the winning side. Among them will be many doubtful characters. Even those who seem to have the best intentions cannot be regarded as trustworthy; they are almost certain to have some axe to grind. That is one of the reasons why you have been instructed not to fraternise with the Germans.

There are fanatical young Nazis – girls as well as boys – whose heads and hearts are still full of the vicious teachings they absorbed in the Hitler Youth. Their talk, if you ever heard it, might sound plausible and even rather fine, for Hitler's propagandists have natu-

rally dressed up his ideas to make them attractive to the young. But remember that the real meaning of Nazism is shown in its vile practices, not in its fair words.

And, quite possibly, you will some day run into one of the genuine thugs, one of the former killers or crooked Nazi bosses. He may try to throw his weight about, or he may cringe and try to curry favour. Such people really respect nothing but force.

The authorities will know how to deal with them.

– WHAT THE GERMANS THINK OF US –

IF we leave the extreme Nazi ideas out of account, the basic German view of the British is something like this:

The British do not work so hard as the Germans or take their work so seriously.

The British do not organise as well as the Germans. (In fact the German tends to over-organise; this war has shown that our organisation, when we really get down to it, is just as thorough and more flexible.)

But on the whole the Germans admire the British. The efforts of the German Propaganda Ministry to stir up hatred against us have not been, in spite of the R.A.F. raids, a great success. It is probable that of all the occupying troops of the United Nations we and the Americans will be the least unwelcome.

Even Hitler had a grudging respect for us, as he admitted in *Mein Kampf*. He envied us the British Empire and admired the national qualities that went to building it up – imagination, enterprise and tough endurance. He thought we had grown decadent and lost them. Our fighting forces – and the civilians at home – have proved the contrary.

Germans believe we have other national virtues. They think that we are fair, decent and tolerant and that we have political common sense.

Now that the Nazi dream of world-conquest has been shattered, these homely qualities look all the more attractive, and many Germans would probably say to-day that their ideal of the new Germany is something like Britain.

While you are serving in Germany you are representatives of Britain. Your behaviour will decide their opinion of us.

It is not that we value their opinion for its own sake. It is good for the Germans, however, to see that soldiers of the British democracy are self-controlled and self-respecting, that in dealing with a conquered nation they can be firm, fair and decent. The Germans will have to become fair and decent themselves, if we are to live with them in peace later on.

But the Germans have another pet idea. They claim that we are nationally akin to them, they call us their "cousins". This is part of their theory of the superiority of the Northern races.

The likeness, if it exists at all, is only skin-deep. **The deeper you dig into the German character, the more you realise how different they are from us. So don't be taken in by first impressions.**

The Germans think of the Americans much in the same way as they think of us, but they do not know them so well and many of their ideas come from Holly-

wood films, which were once very popular in Germany. That is why they think, for instance, that all Americans are rich. Their first idea of the American troops as "amateur" soldiers has been completely disproved by battle experience.

The Germans' attitude to the Russians is quite different. Under Hitler they have been taught to regard the Russians as sub-human. The purpose of this was to remove any scruples they might have had about the barbarous methods of German warfare on the Russian front. The Soviet citizen, Hitler said, was less than a human being, so no treatment could be too cruel for him. The "Bolsheviks" were bracketed with the Jews as Enemy of Mankind No. 1.

When the Red Army began to advance Hitler redoubled this propaganda. He hoped to frighten his troops and the civilians at home into resistance to the death. And to some extent he succeeded.

The severity of the Red Army's fight for liberation is easy to understand. **Hitler, running true to form, attacked Russia while the pact of friendship he had made with her was still in force;** he has spurred on his soldiers and S. S. to commit atrocities more barbarous than anything in modern history – except their own record in Poland.

Ever since the Germans invaded Russia in 1941,

their propaganda has been spreading baseless scares about the "Bolshevik menace." The aim was perfectly clear – it was to drive a wedge between us and our Russian ally. Remember this if the Germans try to spread stories against the Red Army.

THE instructions you will receive in Germany will keep you very much apart from the Germans. Probably you will rarely, if ever, enter a house where Germans are living, and neither will you be meeting Germans on social occasions; but you should know something of how they live so as to understand what is going on around you.

Life in any country of Central or Western Europe is not – under peace-time conditions – very different from what it is at home, but there are quite a lot of smaller differences. For instance there is –

Food. Probably you will seldom come across food cooked in the German way. Even if you do, it may be very different from pre-war German food. It is likely to be a long time before German supplies get back to normal.

At its best, German cooking produces some characteristic and appetising dishes. The chief difference from English cooking is in the treatment of vegetables. In place of the English boiled greens the Germans serve a white pickled cabbage called Sauerkohl (sour cabbage) or a red cabbage called Rotkohl. Both are very tasty if you eat them with Wiener Schnitzel (fried veal) or Schweine-kotelett (fried pork cutlet).

The Germans prefer pork and veal to beef and mutton, and cook them better. But the staple meat dish is the sausage. The best German sausage is eaten cold and there are hundreds of varieties of it. Two excellent kinds of sausage are Mettwurst (Wurst = sausage) and Leberwurst (liver sausage).

The Germans are very fond of Torten (pastries), with Schlagsahne (whipped cream), but it will be some time before such luxuries are obtainable again at the Konditorei (confectioner's). The Germans don't know how to make tea, but they are quite expert with coffee. However, for the present their coffee is "ersatz."

"Beer is best." The favourite German drink is beer. Under war conditions it has been diluted much more even than English beer, but normally it is regarded as the pleasantest beer in Europe. There are hundreds of brews; two of the most famous are Münchener (from Munich) and Pilsener (from Pilsen in Czechoslovakia). Local beers are either light (hell) or dark (dunkel). All German beers are iced.

Western Germany produces some of the choicest wine on the Continent, such as Moselle wine and Rhine wine (which we call "hock"). Compared with prices in Britain wine is cheap.

Whiskey and gin will be scarce and of poor quality

(unless imported from Britain), **but there are many kinds of spirits called schnaps. The cheaper sorts are guaranteed to take the skin off one's throat.**

Entertainment. Entertainment will be provided for you by E.N.S.A. in your own camp or barracks and most German places of entertainment will be out of bounds. The Germans, of course, will be going to cinemas where it is probable that British, American and Russian films will be shown. There may also be German films – non-political ones. But German films, which were very good before 1933, suffered like so many other things because Hitler insisted on making them an instrument of Nazi propaganda, and there may at first be very few available which are free from this taint. This is also true of German plays.

Sport. The Germans have only taken to sport during the last thirty years, but they are keen and capable performers. They learnt most of their sport from us. Football is the most popular game, but is played less vigorously than in Britain; charging is regarded as rough play. Football is entirely amateur, and "pools" are unknown. There is no cricket, but plenty of athletics, some tennis and a little golf. Boxing and wrestling are both popular spectacles, and the Germans go in for a good deal of cycle racing.

Health. The standards of health, normally high, have fallen as a result of the war. Venereal diseases are prevalent. **A German expert stated (May, 1943), "Venereal diseases strike at every fourth person between the ages of 15 and 41".**

Women. Before Hitler came to power the German woman was winning the same freedom to live her own life as British women enjoy, but the Nazis took away her newly won rights and made her again the traditional Hausfrau (housewife). Shortage of man-power in war time brought German women back into the professions, but only on sufferance.

Under the shock of defeat standards of personal honour, already undermined by the Nazis, will sink still lower. Numbers of German women will be willing, if they can get the chance, to make themselves cheap for what they can get out of you. After the last war prostitutes streamed into the zone occupied by British and American troops. They will probably try this again, even though this time you will be living apart from the Germans. Be on your guard. Most of them will be infected.

Marriages between members of British forces and Germans are, as you know, forbidden.

But for this prohibition such marriages would certainly take place. Germany will not be a pleasant place

to live in for some time after the war, and German girls know that, if they marry British husbands, they will become British with all the advantages of belonging to a victor nation instead of to a vanquished one. Many German girls will be just waiting for the chance to marry a Briton – whether they care for him or not. When once they had their marriage lines he would have served his purpose.

During the last occupation there were a number of marriages between British soldiers and German girls. The great majority of these marriages soon came to grief. When the couples returned to England they found themselves lonely and friendless, and this resulted only in unhappiness for the wife, the husband and the children. That is one reason – though not the only one – why this time they will not be allowed.

Religion. Large parts of Germany have been Protestant since the Reformation in the early 16th century, when Martin Luther led the revolt against the papacy. To-day about two-thirds of Germany is Protestant and one-third Catholic; the Protestants are strongest in North and Central Germany, the Catholics in the west, south and south-east.

Many of the Catholic churches are of great beauty and antiquity. Some, like Cologne Cathedral, have

unfortunately suffered in raids, but there are many other noble and ancient churches which are well worth seeing. A few of the most famous are: in Central Germany, the cathedrals of Naumburg and Hildesheim; in South Germany those of Speyer, Bamberg and Worms.

Music. The Germans are extremely fond of music and have produced composers and performers of great eminence. Beethoven, Bach, Brahms, Wagner were all Germans. There are fine concerts of classical music in most of the larger German towns.

Jazz and Swing are frowned on by the Nazis because they are not considered Nordic, but the Germans are fond of dancing, and some dance bands are still playing the latest American and British hits.

Literature. Many of the best German writers had opposed Hitler before his advent to power or had expressed a view of life contrary to Fascism. Their books were therefore banned in Germany and copies of many of them publicly burnt. Jewish writers, some of whom had been in the front rank, were also banned. It has been difficult for a writer to earn a living in Germany unless he was willing to use his talents to spread Nazi ideas. So if you know German and wish to read German books you will find few that are not tainted by

Hitler-propaganda, unless they were written by anti-Nazi refugees and published, abroad.

For the same reasons, modern painters and scientists of independent thought have been silenced or forced to escape from the great intellectual prison of Hitler-Germany.

It will take a long time for Germany to reach again the high level she had attained in the things of the mind under the free republic that preceded Hitler.

General. The rule of the road is: Keep to the **Right – not** to the **Left** as in Britain.

In Germany every town and village has a mayor (*Bürgermeister*); if it is a town with a population of over 20,000 he is probably called an *Oberbürgermeister.* But whatever his title, he has essential administrative duties to perform and is a more important official than his opposite number in England.

If you have to give orders to German civilians, give them in a firm, military manner. The German civilian is used to it and expects it.

The Germans are very short of clothes and footwear. Look out for attempts to steal, beg or buy your boots, shirts and underclothes. You don't need to be told that it is a serious offence to sell or give away Government property.

If you should be billeted in a German household – though this will very seldom happen – be courteous but aloof, avoid loose talk and loose conduct, and keep your eyes and ears open.

With their habitual reverence for all things military, the Germans will be quick to notice any slackness in the dress or bearing of British troops. Don't let your Country or your Unit down.

It is only natural that Germans who have suffered personally under Nazi oppression will try to take revenge on their local tyrants. They will regard this as their own affair and will resent interference. Don't go looking for trouble.

The Nazis have had great experience in organising incidents to cause trouble or to influence public opinion. The die-hards (mostly young products of the Hitler Youth) may try to play similar tricks even when their country has been occupied. **If the incident is small, keep your head and refuse to be impressed or put out of countenance. If it is big, the Allied authorities will deal with it.**

As soon as the pressure of Hitlerism is removed, political parties will spring up again. Even if they have names similar to our parties they will have different problems and different aims. **Steer clear of anything connected with German politics.**

THE smallest German coin is the Pfennig. 100 Pfennigs make one Mark or more formally "Reichsmark."

When you enter Germany you will be given official information about the number of Marks which go to the £.

German coins at present in circulation are: –

1, 5, and 10 Pfennig pieces, made of zinc, 5 and 10 Pfennig pieces made of an aluminium-bronze alloy, an aluminium 50 Pfennig piece, and 2 Mark and 5 Mark pieces of a silver-copper alloy.

In addition to these coins you may come across the following notes: 1, 2 and 5 Mark notes issued by the Rentenbank, and 10, 20, 50, 100 and 1,000 Mark notes issued by the Reichsbank

Wherever you are stationed in Germany you will find at first that there is practically nothing to buy. Food, clothing and tobacco will be severely rationed; there will be no little things you can send home as gifts; the shops will be empty. **Your needs will be looked after by Navy, Army and R.A.F. issue and the NAAFI stores.** The only thing you can buy from the Germans will be a glass of beer or wine.

It will be a long time before the basic needs of the German population are satisfied and inessential goods are again produced.

So for the time being there is little you can do with your pay except save it. You should therefore draw the minimum.

ENGLISH is taught in all German secondary schools and is a compulsory subject in most; it is also taught in large numbers of commercial and language schools throughout the country, so that many Germans have at least a smattering of English. In any hotel or larger restaurant, or government or municipal office; or large shop, there will almost certainly be someone who speaks English.

But in the depths of the country or in working-class districts, you may have to speak German if you cannot get through with the language of signs.

Many German words are similar to English, especially those in most common use. For instance, Mann = man, Haus = house, Garten = garden, Butter = butter, and Brot = bread. This is because the two languages have grown largely from the same root.

A list of words and phrases is printed at the end of this book, and indications are given of how to pronounce them.

The pronunciation is straightforward except for two or three German sounds which we do not use in English.

The golden rule in trying to speak a language you do not know is to be as simple as possible. Take a two-year-

old child as your model. Don't try to make sentences; use nouns and verbs.

At the beginning try to ask questions which can be answered by Ja (yes) or Nein (no). Speak in a normal voice; you will not make your meaning any clearer by shouting.

If you are not understood, point to the word or sentence in your list of phrases.

– DO's –

REMEMBER you are a representative of the British Commonwealth.

KEEP your eyes and ears open.

BE SMART and soldierly in dress and bearing.

AVOID loose talk and loose conduct.

BE FIRM AND FAIR in any dealings with Germans.

KEEP GERMANS AT A DISTANCE, even those with whom you have official dealings.

STEER CLEAR of all disputes between German political parties.

GO EASY on Schnaps.

REMEMBER that in Germany "venereal diseases strike at every fourth person between the ages of 15 and 41."

– DON'Ts –

DON'T sell or give away dress or equipment.

DON'T be sentimental. If things are tough for the Germans they have only themselves to blame. They made things much worse for the innocent people of the countries they occupied.

DON'T believe German accounts of the war or the events that led up to it. The Germans got their ideas on these subjects from lying propaganda.

DON'T fall for political hard-luck stories.

DON'T believe tales against our Allies or the Dominions. They are aimed at sowing ill will between us.

DON'T be taken in by surface resemblances between the Germans and ourselves.

DON'T go looking for trouble.

— WORDS AND PHRASES —

Orders

Hands up!	Hände hoch! *hend*a *hohk*
Open your hands!	Öffnen Sie die Hände! **uff***nen zee dee* hend*a*
Halt! Who goes there?	Halt! Wer da? *hahlt vair dah*
Give me your papers	Geben Sie mir Ihre Papiere **gay***ben zee meer eera* pa**peer***a*
Sit down!	Setzen Sie sich! **zet***zen zee zish*
Stand up!	Stehen Sie auf **shtay***en zee owf*

General

Good morning (day, evening)	Guten Morgen (Tag, Abend) **goo***ten* **mor***gen (tahk,* **ah***bent)*
Excuse me	Entschuldigen Sie *ent***shoold***iggen zee*
I beg your pardon	Verzeihung *fair***tsy***oong*
Is there anyone who speaks English?	Spricht jemand Englisch? *shprisht* **yay***mant* **eng***lish*
Please write (read) this	Bitte schreiben Sie (lesen Sie) das **Bitt***a* **shry***ben zee (***lay***zen zee) dass*
Who are you?	Wer sind Sie? *vair zint zee*
What is your name?	Wie heissen Sie? *vee* **hy***ssen zee*

Where do you live?	Wo wohnen Sie? *vo **vohn**en zee*
Come in!	Herein! *hair**ine**!*
Quick, slowly	Schnell, langsam *shnell, **lank**sahm*
It is late (early)	Es ist spät (früh) *es ist shpate (free)*
I am in a hurry	Ich habe es eilig *ish **hah**ba es **eye**lish*
Take care!	Achtung! or Vorsicht! ***ahk**toong! **fore**zisht!*
Wait here, please	Warten Sie hier, bitte ***vahr**ten zee here **bitta***
We are friends	Wir sind Freunde *veer zint **froyn**da*
Don't be afraid	Keine Angst ***ky**na angst*
I will return later	Ich komme später zurück *ish **komm**a **shpat**er tsoo**rick***
I will meet you here at … o'clock	Ich treffe Sie hier um … Uhr *ish **treff**a zee here oom … oor*
What do you call this?	Wie heisst dies? *vee **hy**st dees?*
What does that mean?	Was bedeutet das? *vahss be**doyt**et dass?*
Say it again	Wiederholen Sie es *veeder**hohl**en zee ess*
I don't understand	Ich verstehe nicht *ish fair**shtay**a nisht*
Do you understand?	Verstehen Sie? *fair**shtay**en zee?*

Please speak slowly (write it down)	Bitte sprechen Sie langsam **bitt**a **shpresh**en zee **lank**sahm (schreiben Sie es auf) (**shry**ben zee ess owf)
What do you want?	Was wollen Sie? vahss **voll**en zee?
What is the matter?	Was ist los? vahss ist lohs?
What is the time?	Wie spät ist es? vee shpate ist ess?
Where are you going?	Wo gehen Sie hin? vo **gay**en zee hin?
What nationality are you?	Was für ein Landsmann sind Sie? vahss feer ine **lants**mahn zint zee?
Are you German (French)?	Sind Sie Deutscher (Franzose)? zint zee **doy**cher (frahn**tsoh**za)?
What is the name of this town (this village)?	Wie heisst diese Stadt (dieses Dorf)? vee hyst **dee**za shtat (**dee**zes dorf)?
Have you seen any soldiers?	Haben Sie Soldaten gesehen? **hah**ben zee zol**dah**ten ge**zayn**?
What kind of soldiers?	Was für Soldaten? vahss feer zol**dah**ten?
Go away, please	Bitte gehen Sie weg **bitt**a **gay**en zee veck
I cannot talk to you now	Ich kann jetzt nicht mit Ihnen sprechen ish khan yetst nisht mit **een**en **shpresh**en
I know nothing about it	Ich weiss nichts davon ish vice nishts da**fon**

Travelling by Road

Which is the way to – ?	Wie kommt man nach – ? vee kommt mahn nahk – ?

How far is it to — ?	Wie weit ist es nach — ?	*vee vite ist ess nahk — ?*
Where does this road lead to?	Wohin führt diese Strasse?	*vohin feert deeza shtrahssa?*
Where am I now? Show me on this map	Wo bin ich jetzt? Zeigen Sie es mir auf diesem Plan	*vo bin ish yetst tsygen zee ess meer owf deezem plahn*
I have lost my way	Ich habe den Weg verloren	*ish habba dain vaik fairlohren*
Stop! Go back!	Stopp! Zurück!	*shtop! tsoorrick!*
Go on!	Weiterfahren!	*vyter-fahren!*
Danger!	Achtung, Gefahr!	*ahktoong, gefahr!*
Main road, good road, secondary road, track	Chaussee, gute Strasse, Nebenstrasse, Fahrweg	*shosay goora shtrahssa, nayben-shtrahssa, fahrvaik*
Road closed. No thoroughfare	Gesperrt. Kein Durchgang	*geshpairt, kine doorshgang*
One-way street (traffic)	Einbahnstrasse (-verkehr)	*inebahn-shtrahssa (-fairkair)*
Keep to the left (right)	Links (rechts) fahren	*links (rechts) fahren*
Bicycle, horse, mule, cart	Fahrrad, Pferd, Maultier, Wagen	*fahr-raht, pfairt, mowleer, vahgen*

Car Repairs

| My car (lorry) has broken down | Mein Wagen (Lastwagen) hat eine Panne gehabt | *mine vahgen (lastvahgen) haht eyena panna gehabt* |

Where is the nearest garage?	Wo ist die nächste Garage?
	*vo ist dee **naiksta** garahja?*
Can you repair (replace) this?	Können Sie das reparieren (auswechseln)?
	***kenn**en zee dass repp**aree**ren (owssvexeln)?*
Can you fetch (tow) my car?	Können Sie meinen Wagen
	***kenn**en zee **my**nen **vah**gen
	holen (abschleppen)?
	***hoh**len (ap-shleppen)?*
I need petrol (oil, water)	Ich brauche Benzin (Oel, Wasser)
	*ish **brow**ka bent**seen** (ull, **vahss**er)*
Can you lend me some tools?	Können Sie mir Werkzeuge leihen?
	***kenn**en zee meer **vairk**tsoyga **ly**en?*

Travelling by Rail

Where is the railway station?	Wo ist der Bahnhof?
	*vo ist dair **bahn**hof?*
When is there a train to – ?	Wann fährt ein Zug nach – ?
	vahn fairt ine tsook nahk – ?
What time does it arrive?	Wann kommt er an?
	vahn kommt air an?
Do I have to change?	Muss ich umsteigen?
	*mooss ish **oom**shtygen?*
A single (return)ticket to –	Eine Fahrkarte (Rückfahrkarte) nach –
	***eye**na **fahr**karta (**rick**fahrkarta) nahk –*
Ticket office	Fahrkartenausgabe
	***fahr**karten-owssgahba*
Refreshment room	Bahnhofrestaurant
	bahn**hof-resto**rong

The Country, the Sea

Bridge, ford, river	Brücke, Furt, Fluss	*bricka, foort, flooss*
Mountain, forest, wood, canal	Berg, Forst, Wald, Kanal	*bairg, forst, vahlt, kanahl*
Farm	Bauernhof	*bow-ern-hof*
Are the trees in that wood thick?	Stehen die Bäume dicht in diesem Wald?	*shtayen dee boyma disht in deezem vahlt?*
Field, ploughed field, pasture	Feld, Acker, Wiese	*felt, acker, veeza*
Whose cattle (horses) are these?	Wem gehören dieses Vieh (diese Pferde)?	*vaim gehuren deezes fee (deeza pfairda)?*
Can we sleep in your barn (out-buildings)?	Können wir in Ihrer Scheune (Anbau) schlafen?	*kennen veer in eerer shoyna (ahnbow) shlahfen?*
Fodder, hay, straw, wheat, crops	Futter, Heu, Stroh, Korn, Ernte	*footer, hoy, shtroh, korn, airnta*
Horse, cow, sheep, goat, chicken goose	Pferd, Kuh, Schaf, Ziege, Huhn, Gans	*pfairt, koo, shahf, tseega, hoon, gahnss*
Is there a spring (well, stream) near here?	Gibt es eine Quelle (einen Brunnen, ein Bach) in der Nähe?	*geebt ess eyena kvella eyenen broonen, ine bahkh) in dair nayа?*

Accommodation, Baths

Where can I get a bed?	Wo kann ich schlafen?	*vo kahn ish shlahfen?*
These are my (our) billets	Ich bin (wir sind) hier einquartiert	*ish bin (veer zint) here ine-kvarteert*

May I (we) come in?	Darf ich (dürfen wir) eintreten? *darf ish (**deer**fen veer) ine-trayten?*
I shall be returning late (leaving early)	Ich komme spät zurück (gehe früh fort) *ish **komm**a shpate tsoo**rick** (**gay**a free fort)*
Can we have something to eat (drink)?	Können wir etwas zu essen *kenn**en** veer **et**vahss tsoo **ess**en (trinken) bekommen? (**trink**en) be**komm**en?*
May I have a key?	Kann ich einen Schlüssel haben? *kahn ish **eye**nen **shliss**el **hah**ben?*
Where is the light?	Wo ist das Licht? *vo ist dass lisht?*
A hot bath, soap, towel	Ein warmes Bad, Seife, Handtuch *ine **vahr**mes baht, **zy**fa, **hahnt-**toohk*
Lavatory, cloakroom, dining room	Abort, Garderobe, Esszimmer ***ah**port, gar**da-roh**ba, **ess**tsimmer*

Food, Drink

Where can I eat (drink)?	Wo kann ich essen (trinken)? *vo kahn ish **ess**en (**trink**en)?*
May I have breakfast (supper, dinner)	Kann ich Frühstück (Mittagessen, *kahn ish **free**shtick (**mitt**ahk-**ess**en, Abendbrot) haben? **ah**bent-broht) **hah**ben?*
Menu, bottle, cup, glass, jug	Speisekarte, Flasche, Tasse, Glas, Krug ***shpy**za-karta, **flash**a, **tahss**a, glahss, krook*
Knife, fork, plate, spoon	Messer, Gabel, Teller, Löffel ***mess**er, **gah**bel, **tell**er, **leff**el*
Bread, butter, cheese, eggs	Brot, Butter, Käse, Eier *broht, **boot**er, **kay**za, **eye**er*
Fish, meat, vegetables	Fisch, Fleisch, Gemüse *fish, flysh, ge**mee**za*

57

The butcher (greengrocer)	Der Fleischer (Gemüsehändler)
	dair **fly**sher *(ge***mee**za-**hend***ler)*
The fruiterer, apples, pears, plums	Der Obsthändler, Äpfel, Birnen, Pflaumen
	dair **obst**-*hendler,* **ep***fel,* **beer***nen,*
	Plow*men*
How much a pound (kilo, liter)?	Was kostet das Pfund, (Kilo, Liter)?
	vahss **kos***tet dass pfoont (***kee***lo,* **lee***ter)?*
Drinking water, milk, tea, coffee	Trinkwasser, Milch, Tee, Kaffee
	trink*vahsser, milsh, tay,* **ka***fay*
Wine, beer, cider	Wein, Bier, Apfelwein
	vine, beèr, **ap***fel-vine*

Entertainment

Theatre, cinema, music-hall	Theater, Kino, Variété
	*tay***ah***ter,* **kee***no, vareeay***tay**
What time does the show begin?	Wann beginnt die Vorstellung?
	*vahn be***ginnt** *dee* **fore***shtelloong?*
What price are the seats?	Was kosten die Plätze?
	vahss **kos***ten dee* **plet***za?*
Broadcasting, programme, wireless set	Radio, Programm, Radioempfänger
	rah*deeoh, pro***gramm, rah***deeoh-*
	*emp***feng***er*

Public Notices

Notice, advertisement	Anschlag, Anzeige
	ahn*shlahk,* **ahn***tsyga*
It is forbidden	Es ist verboten
	*ess ist fair***boh***ten*
Smoking (spitting) forbidden	Rauchen (Spucken) verboten
	row*ken (sh***pook***en) fair***boh***ten*

Entrance free, entrance forbidden	Eintritt frei, Eintritt verboten
	inetritt fry, **ine**tritt fair**boh**ten
Stopping-place (bus, tram)	Haltestelle, Strassenbahn
	hahlta-**shtell**a, **shtrah**ssenbahn
Bus	Omnibus
	omni**booss**
Do not touch, keep off the grass, high tension	Nicht berühren, den Rasen nicht betreten, Hochspannung
	nisht be**reer**en, dain **rah**zen nisht be**tray**ten, **hohk**shpannoong
Private property	Privateigentum
	preevaht-eyegentoom
Ladies, Gentlemen	Damen, Herren
	dahmen, **hair**en
Vacant, engaged	Frei, besetzt
	fry, be**zetst**
Open, closed	Offen, geschlossen
	offen, ge**shloss**en

Accidents

Where is the doctor (chemist)?	Wo ist der Arzt (Apotheker)?
	vo ist dair artst (appo**taker**)?
Fetch a doctor, please	Bitte holen Sie einen Arzt
	bitta **hoh**len zee **eye**nen artst
Help quickly	Helfen Sie schnell
	helfen zee shnell
There has been an accident	Ein Unfall ist geschehen
	ine **oon**fall ist ge**shay**en
I have been wounded (injured)	Ich bin verwundet (verletzt)
	ish bin fair**voon**det (fair**letst**)

59

– SECURITY NOTE –

IF there is no open fighting in the part of Germany in which you find yourself you may think that there is no longer any special need for security.

This is not the case. Germans must still be regarded as dangerous enemies until the final Peace Settlement has been concluded and after the occupation of Germany has ended.

Security is therefore as important as ever. In battle, breaches of security may cost men's lives; under conditions behind the line the danger is not so immediate. Such breaches, will, however, assist those Germans who are working under-ground against us, and, make no mistake about it, there will be plenty of them.

You will have read in this book all about the character of the Germans, and will know what to expect from them, especially from the Nazi elements. Your attention should therefore be firmly and continually fixed on the following points with regard to which the necessity for security remains paramount: –

1. Attempts by propaganda and agents to secure sympathy for the German people and to convince you that they have had a raw deal.

2. Attempts by propaganda and agents to create ill-

feeling between us and our Allies, and in particular to stir up anti-Russian feeling.

3. Attempts to sabotage, and to injure the Allied Forces in Germany.

4. Attempts to obtain information as to the movements, dispositions and activities of our Forces, and other information of a military nature, such as advance information of projected operations, search parties, raids and similar intentions.

In order to combat this, you should constantly bear in mind the following: –

Be careful what you say – not only to civilians, but in their hearing. Many more Germans than you think understand and speak English.

Be guarded in what you say on the telephone. Remember that a telephone line is never private.

Remember that propaganda will be used in many forms – some crude and obvious, but much of it subtle and difficult to recognise.

Don't be too ready to listen to stories told by attractive women. They may be acting under orders.

Pay especial attention to security of documents, and don't leave letters and private diaries lying about. Although apparently harmless, they may contain information of value to the enemy.

Report any suspicious characters *at once* to your Unit Security Officer or to a Field Security Officer.

If you have to check identity documents, be scrupulously thorough in assuring yourself that the bearer is all that he claims to be. And finally never leave weapons or ammunition unguarded. Remember the saboteur and the assassin.

Life in Germany will demand your constant vigilance, alertness and self-confidence. Each one of you has a job to do. See that you carry it through, however irksome it may seem, with goodwill and determination. The more thorough we are now the less likely are we to have trouble in the future.